Le Petit Prince
Édition Bilingue Français, Anglai

The Little Prince
French/English Bilingual Edition

Écrit par | Written by
Antoine de Saint-Exupéry

English translation by
David Wilkinson

SMALL
WORLD
PRESS

À propos de la traduction

La traduction de ce livre suit de très près le sens du texte d'origine tout en restant idiomatique. Ainsi, ce livre peut être utilisé pour étudier n'importe laquelle des deux langues.

Mise en page

Les phrases de chaque chapitre sont numérotées dans la marge. Les lignes horizontales séparent les paragraphes et la mise en évidence de certaines parties permet d'identifier rapidement leur correspondance dans l'autre langue.

Audio

Vous pouvez vous rendre sur notre site Internet (smallworld.press) pour obtenir davantage d'informations.

Instructions d'utilisation

Concentrez vos études autour du matériau enregistré. La parole est le média natif de nos capacités linguistiques, et travailler de manière exhaustive avec un matériau audio est essentiel pour assimiler les structures de la langue.

Il est plus facile de travailler avec des matériaux traduits phrase par phrase quand vous possédez déjà des connaissances de la langue ou que vous parlez une langue apparentée. En tant que débutant, vous devriez écouter attentivement les enregistrements audio de la langue que vous étudiez et utiliser la traduction du livre en soutien à la compréhension. Vous trouverez peut-être utile de vous familiariser avec la traduction au préalable. Si vous vous en sentez capable, essayez de comprendre au mieux les enregistrements avant de vous référer à la traduction pour vérifier votre compréhension. De temps à autre, n'hésitez pas à n'écouter que les enregistrements. À mesure que vous progressez, la langue deviendra plus familière et transparente. L'objectif est que vous parveniez à comprendre un nouveau matériau par vous-même.

About the Translation

The translation in this book follows the original text very closely in meaning, yet remains idiomatic. As such, this book can equally be used for the study of either language.

Layout

The sentences in each chapter have been numbered in the margin. Horizontal lines break up paragraphs, and the highlighting also helps to quickly identify the corresponding text in the other language.

Audio

Please see our website (smallworld.press) for further developments.

Instructions for Use

Center your studies around the recorded material. Speech is the native medium of our language facilities, and working extensively with audible material is central to internalising the structures of the language.

Materials with a sentence-by-sentence translation are easier to work with when you already have some knowledge of the language, or know a related language. As a beginner, you should listen attentively to the audio of the language you are studying, using the translation in the book to support comprehension. You may find it helpful to familiarise yourself with the translation beforehand. As you feel able, try to understand as much as you can from the recordings before referring to the translation to check comprehension. Listen to the recordings on their own sometimes. As you progress, the language will become more familiar and transparent. The goal is to reach a point where you can understand new material on your own.

En se concentrant sur la consommation d'un large volume de matériau, nous acquérons des mots et des structures tandis que nous les rencontrons de manière répétée, et la priorité est naturellement donnée aux éléments les plus fréquents. Il est plus judicieux de se concentrer sur les phrases plutôt que sur les mots seuls. Votre connaissance des mots et de leur utilisation s'approfondit à mesure que vous les rencontrez dans différents contextes linguistiques. Ne vous inquiétez pas si vous ne comprenez pas toujours le fonctionnement grammatical d'une phrase. Grâce à une pratique suffisante de la langue, vous obtiendrez éventuellement une compréhension intuitive de la manière dont le langage produit le sens. Cela ne veut pas dire qu'il n'est pas nécessaire d'étudier la grammaire, mais si vous vous immergez dans une langue à l'aide de matériaux préparés de façon appropriée, des connaissances détaillées ne sont pas nécessaires.

Il existe d'autres techniques plus actives que vous pouvez essayer. Elles incluent de répéter après avoir écouté l'enregistrement, de transcrire le texte à la main ou de retraduire le texte dans la langue étudiée (lorsque vous vous sentez prêt). Prêtez attention aux sons de la langue et faites de votre mieux pour les imiter. Il est recommandé d'étudier la phonétique de la langue.

Je vous conseille de vous rendre sur SMALLWORLD. PRESS si vous souhaitez obtenir plus de conseils et de techniques, une liste des matériaux recommandés et des liens utiles.

By focusing on consuming a large volume of material, we acquire words and structures as we meet them repeatedly, and the most frequent items are naturally prioritised. It's better to focus on phrases, rather than individual words. Your knowledge of any particular word and its use will broaden as you meet it in different linguistic contexts. Don't be concerned if you don't always understand the grammatical workings of a sentence. With enough exposure, you will predictably form an intuitive understanding of how the language encodes meaning. That's not to say you shouldn't study grammar, but to engage with the language using suitably prepared materials, a detailed knowledge is not necessary.

There are other more active techniques you can also try. These include repeating after the recording, transcribing the text by hand, or reverse translating the text back into the language being studied (when you feel ready). Pay attention to the sounds of the language, and imitate them as best you can. Studying the phonetics of a language is encouraged.

I recommend you visit SMALLWORLD.PRESS for more advice and techniques, lists of recommended materials, and useful links.

DÉDICACE

1 À Léon Werth.

2 Je demande pardon aux enfants d'avoir dédié ce livre à une grande personne. J'ai une excuse sérieuse: cette grande personne est le meilleur ami que j'ai au monde.

4 J'ai une autre excuse: cette grande personne peut tout comprendre, même les livres pour enfants.

5 J'ai une troisième excuse: cette grande personne habite la France où elle a faim et froid. Elle a bien besoin d'être consolée. Si toutes ces excuses ne suffisent pas, je veux bien dédier ce livre à l'enfant qu'a été autrefois cette grande personne.

8 Toutes les grandes personnes ont d'abord été des enfants. (Mais peu d'entre elles s'en souviennent.) Je corrige donc ma dédicace:

11 À Léon Werth

12 quand il était petit garçon.

DEDICATION

To Leon Werth

I apologise to the children for having dedicated this book to a grown-up. I have a good excuse: this grown-up is the best friend I have in the world. I have another excuse: this grown-up can understand everything, even books for children. I have a third excuse: this grown-up lives in France, where he is hungry and cold. He really needs to be comforted. If all these excuses are not enough, I would like to dedicate this book to the child that this grown-up used to be. All grown-ups have first been children. (But few of them remember it.) I thus correct my dedication:

To Leon Werth

when he was a little boy.

1   Lorsque j'avais six ans j'ai vu, une fois, une magnifique image, dans un livre sur la forêt vierge qui s'appelait « Histoires vécues. » Ça représentait un serpent boa qui avalait un fauve. Voilà la copie du dessin.

When I was six years old, I once saw a magnificent picture in a book about the primeval forest called 'Real-life Stories.' It showed a boa constrictor swallowing a wild animal. Here is a copy of the drawing.

4   On disait dans le livre: « Les serpents boas avalent leur proie tout entière, sans la mâcher. Ensuite ils ne peuvent plus bouger et ils dorment pendant les six mois de leur digestion. »

It said in the book: "Boa constrictors swallow their prey whole, without chewing it. Then they are no longer able to move, and they sleep for the six months it takes for digestion."

6   J'ai alors beaucoup réfléchi sur les aventures de la jungle et, à mon tour, j'ai réussi, avec un crayon de couleur, à tracer mon premier dessin. Mon dessin numéro 1.

So I thought a lot about the adventures of the jungle and, in turn, I managed, with a coloured pencil, to sketch my first drawing. My Drawing No. 1.

8   Il était comme ça:

It was like this:

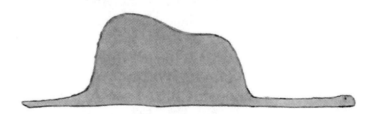

9   J'ai montré mon chef d'œuvre aux grandes personnes et je leur ai demandé si mon dessin leur faisait peur.

I showed my masterpiece to the grown-ups and I asked them if my drawing frightened them.

10 Elles m'ont répondu: « Pourquoi un chapeau ferait-il peur? »

They answered me: "Why would a hat be frightening?"

11	Mon dessin ne représentait pas un chapeau. Il représentait un serpent boa qui digérait un éléphant. J'ai alors dessiné l'intérieur du serpent boa, afin que les grandes personnes puissent comprendre. Elles ont toujours besoin d'explications. Mon dessin numéro 2 était comme ça:	My drawing did not depict a hat. It showed a boa constrictor digesting an elephant. I then drew the inside of the boa constrictor, so that the grown-ups could understand. They always need to have explanations. My Drawing No. 2 was like this:

16	Les grandes personnes m'ont conseillé de laisser de côté les dessins de serpents boas ouverts ou fermés, et de m'intéresser plutôt à la géographie, à l'histoire, au calcul et à la grammaire. C'est ainsi que j'ai abandonné, à l'âge de six ans, une magnifique carrière de peinture.	The grown-ups advised me to set aside drawings of boa constrictors, open or closed, and to apply myself instead to geography, history, arithmetic and grammar. That's how I abandoned, at the age of six, a magnificent career as a painter. I had been discouraged by the failure of my Drawing No. 1 and of my Drawing No. 2. Grown-ups never understand anything by themselves, and it's tiresome for children to always explain things for them again and again.
18	J'avais été découragé par l'insuccès de mon dessin numéro 1 et de mon dessin numéro 2. Les grandes personnes ne comprennent jamais rien toutes seules, et c'est fatigant, pour les enfants, de toujours et toujours leur donner des explications.	
20	J'ai donc dû choisir un autre métier et j'ai appris à piloter des avions. J'ai volé un peu partout dans le monde. Et la géographie, c'est exact, m'a beaucoup servi.	So I had to choose another profession, and I learned to fly airplanes. I flew pretty much everywhere in the world. And geography, it's true, has served me well. I could recognise, at first glance, whether it was China or Arizona. It's very useful if you get lost during the night.
23	Je savais reconnaître, du premier coup d'œil, la Chine de l'Arizona. C'est très utile, si l'on s'est égaré pendant la nuit.	
25	J'ai ainsi eu, au cours de ma vie, des tas de contacts avec des tas de gens sérieux. J'ai beaucoup vécu chez les grandes personnes. Je les ai vues de très près. Ça n'a pas trop amélioré mon opinion.	I thus had, during the course of my life, a lot of contact with many persons of consequence. I have lived a lot among the grown-ups. I have seen them from close up. It hasn't much improved my opinion of them.
29	Quand j'en rencontrais une qui me paraissait un peu lucide, je faisais l'expérience sur elle de mon dessin numéro 1 que j'ai toujours conservé.	Whenever I met one that seemed a bit more clear-sighted, I tried the experiment of showing them my Drawing No. 1, which I've always kept. I wanted to know if he was really a person of true understanding. But he always responded: "It's a hat."
30	Je voulais savoir si elle était vraiment compréhensive. Mais toujours elle me répondait: « C'est un chapeau. »	

32 Alors je ne lui parlais ni de serpents boas, ni de forêts vierges, ni d'étoiles. Je me mettais à sa portée. Je lui parlais de bridge, de golf, de politique et de cravates. Et la grande personne était bien contente de connaître un homme aussi raisonnable.

So I wouldn't speak to him about boa constrictors, nor about primeval forests, nor about the stars. I would put myself at his level. I would talk to him about bridge, golf, politics and neckties. And the grown-up was glad to know such a sensible man.

Chapitre II

1 J'ai ainsi vécu seul, sans personne avec qui parler véritablement, jusqu'à une panne dans le désert du Sahara, il y a six ans. Quelque chose s'était cassé dans mon moteur.

3 Et comme je n'avais avec moi ni mécanicien, ni passagers, je me préparai à essayer de réussir, tout seul, une réparation difficile. C'était pour moi une question de vie ou de mort. J'avais à peine de l'eau à boire pour huit jours.

6 Le premier soir je me suis donc endormi sur le sable à mille milles de toute terre habitée. J'étais bien plus isolé qu'un naufragé sur un radeau au milieu de l'océan. Alors vous imaginez ma surprise, au lever du jour, quand une drôle de petite voix m'a réveillé.

9 Elle disait:

10 — S'il vous plaît... dessine-moi un mouton!

11 — Hein!

12 — Dessine-moi un mouton...

13 J'ai sauté sur mes pieds comme si j'avais été frappé par la foudre. J'ai bien frotté mes yeux. J'ai bien regardé.

16 Et j'ai vu un petit bonhomme tout à fait extraordinaire qui me considérait gravement. Voilà le meilleur portrait que, plus tard, j'ai réussi à faire de lui.

18 Mais mon dessin, bien sûr, est beaucoup moins ravissant que le modèle. Ce n'est pas ma faute. J'avais été découragé dans ma carrière de peintre par les grandes personnes, à l'âge de six ans, et je n'avais rien appris à dessiner, sauf les boas fermés et les boas ouverts.

21 Je regardai donc cette apparition avec des yeux tout ronds d'étonnement. N'oubliez pas que je me trouvais à mille milles de toute région habitée. Or mon petit bonhomme ne me semblait ni égaré, ni mort de fatigue, ni mort de faim, ni mort de soif, ni mort de peur.

24 Il n'avait en rien l'apparence d'un enfant perdu au milieu du désert, à mille milles de toute région habitée. Quand je réussis enfin à parler, je lui dis:

26 — Mais... qu'est-ce que tu fais là?

Thus, I lived alone, without anyone I could truly talk to, until a breakdown in the Sahara desert, six years ago. Something had broken in my engine. And as I had with me neither a mechanic nor any passengers, I prepared myself to try and carry out, all alone, a difficult repair. For me it was a matter of life or death. I had hardly enough water to drink for eight days.

The first night I fell asleep on the sand, a thousand miles from any human habitation. I was more isolated than a shipwrecked sailor on a raft in the middle of the ocean. So you can imagine my surprise when at daybreak, a strange little voice woke me up. It said:

"Please... draw me a sheep!"

"What?"

"Draw me a sheep..."

I jumped to my feet as if I'd been struck by lightning. I rubbed my eyes. I took a good look. And I saw a quite extraordinary little fellow, who was examining me seriously. Here is the best portrait that I later managed to do of him. But my drawing, of course, is much less charming than its model. It's not my fault. I was discouraged in my career as a painter by the grown-ups, at the age of six, and I hadn't learned to draw anything, except closed boas and open boas.

So I stared at this sudden apparition wide eyed with astonishment. Remember that I was a thousand miles from any inhabited region. And yet my little fellow seemed neither lost, nor half-dead with fatigue, nor starved or dying of thirst or fear. He looked nothing like a child lost in the middle of the desert, a thousand miles from any inhabited region. When I finally managed to speak, I said:

"But... what are you doing here?"

27	Et il me répéta alors, tout doucement, comme une chose très sérieuse:	And then he repeated, very slowly, as if it were something of great consequence:
28	— S'il vous plaît... dessine-moi un mouton...	"Please... draw me a sheep..."
29	Quand le mystère est trop impressionnant, on n'ose pas désobéir. Aussi absurde que cela me semblât à mille milles de tous les endroits habités et en danger de mort, je sortis de ma poche une feuille de papier et un stylographe.	When a mystery is too overpowering, one dare not disobey. As absurd as it seemed to me, a thousand miles from any human habitation and at risk of dying, I took out of my pocket a sheet of paper and a pen.
31	Mais je me rappelai alors que j'avais surtout étudié la géographie, l'histoire, le calcul et la grammaire et je dis au petit bonhomme (avec un peu de mauvaise humeur) que je ne savais pas dessiner. Il me répondit:	But then I remembered that I had mostly studied geography, history, arithmetic and grammar, and I told the little fellow (a little crossly) that I didn't know how to draw. He replied:
33	— Ca ne fait rien. Dessine-moi un mouton.	"It doesn't matter. Draw me a sheep."
35	Comme je n'avais jamais dessiné un mouton je refis, pour lui, l'un des deux seuls dessins dont j'étais capable.	As I'd never drawn a sheep, I redid for him one of the only two drawings of which I was capable.
36	Celui du boa fermé. Et je fus stupéfait d'entendre le petit bonhomme me répondre:	The one of the closed boa. And I was astounded to hear the little fellow respond:
38	— Non! Non! je ne veux pas d'un éléphant dans un boa. Un boa c'est très dangereux, et un éléphant c'est très encombrant. Chez moi c'est tout petit.	"No! No! I don't want an elephant inside a boa. A boa is very dangerous, and an elephant is very cumbersome. Where I live everything is very small.
42	J'ai besoin d'un mouton. Dessine-moi un mouton.	I need a sheep. Draw me a sheep."
44	Alors j'ai dessiné.	So I drew.

45	Il regarda attentivement, puis:	He looked carefully, then:
46	— Non! Celui-là est déjà très malade. Fais-en un autre.	"No! That one's already very sick. Make another one."
49	Je dessinai:	I drew:
50	Mon ami sourit gentiment, avec indulgence:	My friend smiled gently and indulgently:
51	— Tu vois bien... ce n'est pas un mouton, c'est un bélier. Il a des cornes...	"You can see yourself... this isn't a sheep, it's a ram. It has horns... "

53	Je refis donc encore mon dessin:	So once again I redid my drawing:
54	Mais il fut refusé, comme les précédents:	But it was rejected, like the previous ones:
55	— Celui-là est trop vieux. Je veux un mouton qui vive longtemps.	"That one's too old. I want a sheep that will live a long time."
57	Alors, faute de patience, comme j'avais hâte de commencer le démontage de mon moteur, je griffonnai ce dessin-ci:	So, lacking patience, as I was eager to start dismantling my engine, I hastily sketched this drawing:

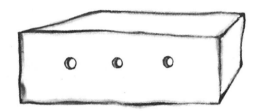

58	Et je lançai:	And I snapped:
59	— Ça c'est la caisse. Le mouton que tu veux est dedans.	"This here is the box. The sheep you want is inside."
61	Mais je fus bien surpris de voir s'illuminer le visage de mon jeune juge:	But I was very surprised to see the face of my young judge light up:
62	— C'est tout à fait comme ça que je le voulais! Crois-tu qu'il faille beaucoup d'herbe à ce mouton?	"It's exactly how I wanted it! Do you think this sheep needs a lot of grass?"
64	— Pourquoi?	"Why?"
65	— Parce que chez moi c'est tout petit...	"Because where I live everything is very small..."
66	— Ça suffira sûrement. Je t'ai donné un tout petit mouton.	"There will certainly be enough. I gave you a very small sheep."
68	Il pencha la tête vers le dessin:	He leaned his head towards the drawing:
69	— Pas si petit que ça... Tiens! Il s'est endormi...	"Not so small... Look! He's fallen asleep..."
72	Et c'est ainsi que je fis la connaissance du petit prince.	And that's how I made the acquaintance of the little prince.

Chapitre III

1 Il me fallut longtemps pour comprendre d'où il venait. Le petit prince, qui me posait beaucoup de questions, ne semblait jamais entendre les miennes.

3 Ce sont des mots prononcés par hasard qui, peu à peu, m'ont tout révélé. Ainsi, quand il aperçut pour la première fois mon avion (je ne dessinerai pas mon avion, c'est un dessin beaucoup trop compliqué pour moi) il me demanda:

5 — Qu'est-ce que c'est que cette chose-là?

6 — Ce n'est pas une chose. Ça vole. C'est un avion. C'est mon avion.

10 Et j'étais fier de lui apprendre que je volais. Alors il s'écria:

12 — Comment! tu es tombé du ciel!

13 — Oui, fis-je modestement.

14 — Ah! ça c'est drôle !...

It took me a long time to find out where he came from. The little prince, who asked me many questions, never seemed to hear the ones that I had. It was the words spoken by chance that, little by little, revealed everything to me. So, when he saw my airplane for the first time (I won't draw my airplane, it would be a drawing far too complicated for me), he asked me:

"What's that thing there?"

"It's not a thing. It flies. It's an airplane. It's my airplane."

And I was proud to have him know that I could fly. Then he cried:

"What? You fell from the sky!"

"Yes," I said modestly.

"Oh! That's funny!..."

15	Et le petit prince eut un très joli éclat de rire qui m'irrita beaucoup. Je désire que l'on prenne mes malheurs au sérieux. Puis il ajouta:	And the little prince broke into a lovely peal of laughter, which irritated me very much. I prefer people to take my misfortunes seriously. Then he added:
18	— Alors, toi aussi tu viens du ciel! De quelle planète es-tu?	"So, you also come from the sky! What planet are you from?"
20	J'entrevis aussitôt une lueur, dans le mystère de sa présence, et j'interrogeai brusquement:	Just then I spotted a glimmer of light in the mystery of his presence, and I asked abruptly:
21	— Tu viens donc d'une autre planète?	"So you come from another planet then?"
22	Mais il ne me répondit pas. Il hochait la tête doucement tout en regardant mon avion:	But he didn't answer me. He shook his head slowly while still looking at my airplane:
24	— C'est vrai que, là-dessus, tu ne peux pas venir de bien loin...	"Of course, on that thing, you can't have come from very far..."
25	Et il s'enfonça dans une rêverie qui dura longtemps. Puis, sortant mon mouton de sa poche, il se plongea dans la contemplation de son trésor.	And he drifted into a daydream which lasted a long while. Then, taking my sheep out of his pocket, he sank into the contemplation of his treasure.
27	Vous imaginez combien j'avais pu être intrigué par cette demi-confidence sur « les autres planètes ».	You can imagine how I had been intrigued by this small disclosure about 'the other planets.' So I tried to find out more:
28	Je m'efforçai donc d'en savoir plus long:	
29	— D'où viens-tu mon petit bonhomme? Où est-ce « chez toi »? Où veux-tu emporter mon mouton?	"Where are you from, my little fellow? Where's this home of yours? Where do you want to take my sheep off to?"
32	Il me répondit après un silence méditatif:	After a reflective silence he answered:
33	— Ce qui est bien, avec la caisse que tu m'as donnée, c'est que, la nuit, ça lui servira de maison.	"What's good about the box you've given me is that at night, he can use it as a house."
34	— Bien sûr. Et si tu es gentil, je te donnerai aussi une corde pour l'attacher pendant le jour. Et un piquet.	"That's right. And if you're good, I'll give you a rope to tie him up during the day. And a stake."
37	La proposition parut choquer le petit prince:	The offer seemed to shock the little prince:
38	— L'attacher? Quelle drôle d'idée!	"Tie him up? What a strange idea!"
40	— Mais si tu ne l'attaches pas, il ira n'importe où, et il se perdra.	"But if you don't tie him up, he'll wander off somewhere, and get lost."
41	Et mon ami eut un nouvel éclat de rire:	My friend broke into another peal of laughter:
42	— Mais où veux-tu qu'il aille!	"But where would you want him to go!"

43	— N'importe où. Droit devant lui...	"Anywhere. Straight ahead..."
45	Alors le petit prince remarqua gravement:	Then the little prince said solemnly:
46	— Ça ne fait rien, c'est tellement petit, chez moi!	"That doesn't matter; everything is so small, where I live."
47	Et, avec un peu de mélancolie, peut-être, il ajouta:	And perhaps with a hint of sadness, he added:
48	— Droit devant soi on ne peut pas aller bien loin...	"Straight ahead you can't go very far..."

CHAPITRE IV

1 J'avais ainsi appris une seconde chose très importante: c'est que sa planète d'origine était à peine plus grande qu'une maison!

2 Ça ne pouvait pas m'étonner beaucoup. Je savais bien qu'en dehors des grosses planètes comme la Terre, Jupiter, Mars, Vénus, auxquelles on a donné des noms, il y en a des centaines d'autres qui sont quelquefois si petites qu'on a beaucoup de mal à les apercevoir au télescope. Quand un astronome découvre l'une d'elles, il lui donne pour nom un numéro.

5 Il l'appelle par exemple: « l'astéroïde 325. »

6 J'ai de sérieuses raisons de croire que la planète d'où venait le petit prince est l'astéroïde B-612.

7 Cet astéroïde n'a été aperçu qu'une fois au télescope, en 1909, par un astronome turc.

8 Il avait fait alors une grande démonstration de sa découverte à un congrès international d'astronomie.

9 Mais personne ne l'avait cru à cause de son costume.

10 Les grandes personnes sont comme ça.

CHAPTER IV

I had thus learned a second very important thing: that his home planet was barely bigger than a house!

It didn't surprise me much. I knew that, apart from the large planets like the Earth, Jupiter, Mars, and Venus, which have been given names, there are hundreds of others that are sometimes so small that one has great difficulty in spotting them through the telescope. When an astronomer discovers one of these, he gives it a number as a name. He names it for example "the asteroid 325."

I have serious reasons to believe that the planet from where the little prince came is the asteroid B-612. This asteroid has only been seen through a telescope once, in 1909, by a Turkish astronomer.

He had then given a big presentation on his discovery at an international astronomy congress. But nobody had believed him because of his outfit. Grown-ups are like that.

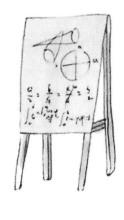

11 Heureusement, pour la réputation de l'astéroïde B-612 un dictateur turc imposa à son peuple, sous peine de mort, de s'habiller à l'européenne.

12 L'astronome refit sa démonstration en 1920, dans un habit très élégant. Et cette fois-ci tout le monde fut de son avis.

Fortunately for the reputation of Asteroid B-612, a Turkish dictator imposed on his people, on pain of death, that they dress in the European fashion. The astronomer gave his presentation again in 1920, in a very elegant suit. And this time everybody shared his views.

14 Si je vous ai raconté ces détails sur l'astéroïde B-612 et si je vous ai confié son numéro, c'est à cause des grandes personnes. Les grandes personnes aiment les chiffres.

16 Quand vous leur parlez d'un nouvel ami, elles ne vous questionnent jamais sur l'essentiel. Elles ne vous disent jamais: « Quel est le son de sa voix ?

If I have told you these details about the asteroid B-612, and if I have revealed to you its number, it's because of the grown-ups. Grown-ups love numbers. When you talk to them about a new friend, they never ask you about any of the important things. They never ask you: "How does his voice sound?

Quels sont les jeux qu'il préfère? Est-ce qu'il collectionne les papillons? » Elles vous demandent: « Quel âge a-t-il? Combien a-t-il de frères? Combien pèse-t-il? Combien gagne son père? » Alors seulement elles croient le connaître. Si vous dites aux grandes personnes: « J'ai vu une belle maison en briques roses, avec des géraniums aux fenêtres et des colombes sur le toit... », elles ne parviennent pas à s'imaginer cette maison. Il faut leur dire: « J'ai vu une maison de cent mille francs. » Alors elles s'écrient: « Comme c'est joli! »

Ainsi, si vous leur dites: « La preuve que le petit prince a existé c'est qu'il était ravissant, qu'il riait et qu'il voulait un mouton. Quand on veut un mouton, c'est la preuve qu'on existe », elles hausseront les épaules et vous traiteront d'enfant! Mais si vous leur dites: « La planète d'où il venait est l'astéroïde B-612 » alors elles seront convaincues, et elles vous laisseront tranquille avec leurs questions. Elles sont comme ça. Il ne faut pas leur en vouloir. Les enfants doivent être très indulgents envers les grandes personnes.

Mais, bien sûr, nous qui comprenons la vie, nous nous moquons bien des numéros! J'aurais aimé commencer cette histoire à la façon des contes de fées. J'aurais aimé dire:

« Il était une fois un petit prince qui habitait une planète à peine plus grande que lui, et qui avait besoin d'un ami... » Pour ceux qui comprennent la vie, ça aurait eu l'air beaucoup plus vrai.

Car je n'aime pas qu'on lise mon livre à la légère. J'éprouve tant de chagrin à raconter ces souvenirs. Il y a six ans déjà que mon ami s'en est allé avec son mouton. Si j'essaie ici de le décrire, c'est afin de ne pas l'oublier. C'est triste d'oublier un ami. Tout le monde n'a pas eu un ami. Et je puis devenir comme les grandes personnes qui ne s'intéressent plus qu'aux chiffres. C'est donc pour ça encore que j'ai acheté une boîte de couleurs et des crayons. C'est dur de se remettre au dessin, à mon âge, quand on n'a jamais fait d'autres tentatives que celle d'un boa fermé et celle d'un boa ouvert, à l'âge de six ans!

What games does he like best? Does he collect butterflies?" They ask: "How old is he? How many brothers does he have? How much does he weigh? How much money does his father make?" Only then do they think they know him. If you say to the grown-ups: "I saw a beautiful pink brick house with geraniums by the windows and doves on the roof...," they aren't able to picture this house in their minds. You'd have to tell them: "I saw a one hundred thousand franc house." And they'd exclaim: "How pretty!"

So if you say to them: "The proof that the little prince existed is that he was charming, he laughed, and he wanted a sheep. When someone wants a sheep, that proves they exist," they will shrug their shoulders and treat you like a child. But if you say to them: "The planet he came from is the Asteroid B-612", they will then be convinced, and leave you in peace and spare you their questions. They're like that. Don't be angry with them. Children should be very forgiving towards the grown-ups.

But, of course, those of us who understand life, we don't much care for numbers! I would have liked to begin this story in the same way as a fairy tale. I would have liked to say:

"Once upon a time, there was a little prince who lived on a planet not much bigger than himself, and who needed a friend..." For those who understand life, it would have seemed much more real.

For I don't want my book to be read lightly. I feel so much sadness in recounting these memories. It has already been six years since my friend left with his sheep. If I try to describe him here, it's so as not to forget him. It's sad to forget a friend. Not everyone has had a friend. And I could become like the grown-ups who are interested in nothing but numbers. It is then because of this too that I have bought a box of paints and some pencils. It's hard to take up drawing again at my age, when one has never made any attempt other than that of the closed boa, and that of the open boa, at the age of six!

48 J'essaierai, bien sûr, de faire des portraits le plus ressemblants possible. Mais je ne suis pas tout à fait certain de réussir. Un dessin va, et l'autre ne ressemble plus. Je me trompe un peu aussi sur la taille.

52 Ici le petit prince est trop grand. Là il est trop petit. J'hésite aussi sur la couleur de son costume.

55 Alors je tâtonne comme ci et comme ça, tant bien que mal. Je me tromperai enfin sur certains détails plus importants. Mais ça, il faudra me le pardonner.

58 Mon ami ne donnait jamais d'explications. Il me croyait peut-être semblable à lui. Mais moi, malheureusement, je ne sais pas voir les moutons à travers les caisses.

61 Je suis peut-être un peu comme les grandes personnes. J'ai dû vieillir.

I'll try, of course, to make my portraits as lifelike as possible. But I'm not quite sure I'll succeed. One drawing goes well; another is no longer lifelike. I also get the size a bit wrong. Here the little prince is too big. There he's too small. I'm also not sure about the colour of his outfit. So I fumble along somehow, as best I can. In the end, I will make mistakes on certain more important points too. But you'll have to forgive me for that. My friend never gave explanations. Perhaps he thought I was just like him. But I, unfortunately, don't know how to see sheep through boxes. Perhaps I'm a bit like the grown-ups. I must have gotten older.

|

Chapitre V

1 Chaque jour j'apprenais quelque chose sur la planète, sur le départ, sur le voyage. Ça venait tout doucement, au hasard des réflexions. C'est ainsi que, le troisième jour, je connus le drame des baobabs.

Every day I learned something about his planet, about the departure, and about the trip. It came slowly, as his thoughts wandered. It was in this way that, on the third day, I came to know of the tragedy of the baobabs.

4 Cette fois-ci encore ce fut grâce au mouton, car brusquement le petit prince m'interrogea, comme pris d'un doute grave:

This time again it was thanks to the sheep, because the little prince asked me abruptly, as if seized by a grave doubt:

5 — C'est bien vrai, n'est-ce pas, que les moutons mangent les arbustes?

"It's true, isn't it, that sheep eat shrubs?"

6 — Oui. C'est vrai.

"Yes. It's true."

8 — Ah! je suis content!

"Oh! I am glad!"

9 Je ne compris pas pourquoi il était si important que les moutons mangeassent les arbustes. Mais le petit prince ajouta:

I didn't understand why it was so important that sheep ate shrubs. But the little prince added:

11 — Par conséquent ils mangent aussi les baobabs?

"Then it follows they also eat baobabs?"

12 Je fis remarquer au petit prince que les baobabs ne sont pas des arbustes, mais des arbres grands comme des églises et que, si même il emportait avec lui tout un troupeau d'éléphants, ce troupeau ne viendrait pas à bout d'un seul baobab.

I pointed out to the little prince that baobabs are not shrubs, but trees as big as churches, and that even if he took with him a whole herd of elephants, the herd wouldn't manage to finish up one single baobab.

13 L'idée du troupeau d'éléphants fit rire le petit prince:

The idea of the herd of elephants made the little prince laugh:

14	— Il faudrait les mettre les uns sur les autres…	"They'd have to be piled up on top of each other…"
15	Mais il remarqua avec sagesse :	But he remarked wisely:
16	— Les baobabs, avant de grandir, ça commence par être petit.	"The baobab trees, before they get bigger, they start off small."
17	— C'est exact! Mais pourquoi veux-tu que tes moutons mangent les petits baobabs?	"That's right! But why do you want your sheep to eat the little baobabs?"
19	Il me répondit: « Ben! Voyons! » comme s'il s'agissait là d'une évidence. Et il me fallut un grand effort d'intelligence pour comprendre à moi seul ce problème.	He replied: "Oh, come on!," as if it were obvious. And it took me a great mental effort to understand this problem on my own.
22	Et en effet, sur la planète du petit prince, il y avait comme sur toutes les planètes, de bonnes herbes et de mauvaises herbes. Par conséquent de bonnes graines de bonnes herbes et de mauvaises graines de mauvaises herbes.	And indeed, on the planet of the little prince there were, like on all planets, both good plants and bad plants. And therefore, both good seeds from good plants and bad seeds from bad plants.
24	Mais les graines sont invisibles. Elles dorment dans le secret de la terre jusqu'à ce qu'il prenne fantaisie à l'une d'elles de se réveiller. Alors elle s'étire, et pousse d'abord timidement vers le soleil une ravissante petite brindille inoffensive. S'il s'agit d'une brindille de radis ou de rosier, on peut la laisser pousser comme elle veut.	But seeds are invisible. They sleep in the secrecy of the earth until, on a whim, one of them decides to wake up. Then it elongates and grows, timidly at first, toward the sun: a charming little harmless sprig. If it's a sprig of radish or rose bush, you can let it grow as it likes.
28	Mais s'il s'agit d'une mauvaise plante, il faut arracher la plante aussitôt, dès qu'on a su la reconnaître.	But if it's a bad plant, one must pull the plant out straight away, as soon as it can be recognised.
29	Or il y avait des graines terribles sur la planète du petit prince… c'étaient les graines de baobabs.	Now there were some terrible seeds on the planet of the little prince… there were the seeds of baobab trees.
30	Le sol de la planète en était infesté. Or un baobab, si l'on s'y prend trop tard, on ne peut jamais plus s'en débarrasser. Il encombre toute la planète.	The soil of the planet was infested with them. A baobab, if you go about it too late, can never ever be gotten rid of. It takes over the entire planet.
33	Il la perfore de ses racines. Et si la planète est trop petite, et si les baobabs sont trop nombreux, ils la font éclater.	It pierces it with its roots. And if the planet is too small, and if there are too many baobabs, they shatter it to pieces.
35	« C'est une question de discipline, me disait plus tard le petit prince. Quand on a terminé sa toilette du matin, il faut faire soigneusement la toilette de la planète.	"It's a matter of discipline," the little prince told me later. "After grooming oneself in the morning, the planet must be carefully groomed.
37	Il faut s'astreindre régulièrement à arracher les baobabs dès qu'on les distingue d'avec les rosiers auxquels ils se rassemblent beaucoup quand ils sont très jeunes. C'est un travail très ennuyeux, mais très facile. »	You must impose yourself regularly to pull up the baobabs as soon as they can be told apart from the rose bushes, to which they look very similar when they are very young. It's a very boring job, but very easy."

39 Et un jour il me conseilla de m'appliquer à réussir un beau dessin, pour bien faire entrer ça dans la tête des enfants de chez moi. « S'ils voyagent un jour, me disait-il, ça pourra leur servir. Il est quelquefois sans inconvénient de remettre à plus tard son travail.

42 Mais, s'il s'agit des baobabs, c'est toujours une catastrophe. J'ai connu une planète, habitée par un paresseux.

44 Il avait négligé trois arbustes... »

45 Et, sur les indications du petit prince, j'ai dessiné cette planète-là. Je n'aime guère prendre le ton d'un moraliste.

47 Mais le danger des baobabs est si peu connu, et les risques courus par celui qui s'égarerait dans un astéroïde sont si considérables, que, pour une fois, je fais exception à ma réserve. Je dis: « Enfants!

49 Faites attention aux baobabs! » C'est pour avertir mes amis d'un danger qu'ils frôlaient depuis longtemps, comme moi-même, sans le connaître, que j'ai tant travaillé ce dessin-là. La leçon que je donnais en valait la peine.

And one day he suggested that I apply myself to making a beautiful drawing, to get this all into the heads of the children, where I lived. "If one day they travel," he said to me, "it could come in useful. Sometimes there's no harm in postponing one's work. But in the case of baobabs, it's always a catastrophe. I used to know a planet inhabited by a lazy person. He had neglected three shrubs..."

And based on what the little prince told me, I drew this planet. I don't at all like to sound like a moralist. But the danger of the baobabs is so little known, and the risks run by he who gets lost on an asteroid are so great that, this one time, I am making an exception to my normal reserve. I say: "Children! Beware of baobabs!" It's to warn my friends of a danger they've long been skirting, as I have, without knowing it, that I have worked so hard on that drawing. The lesson I gave was worth the effort.

52 Vous vous demanderez peut-être: Pourquoi n'y a-t-il pas, dans ce livre, d'autres dessins aussi grandioses que le dessin des baobabs? La réponse est bien simple: J'ai essayé mais je n'ai pas pu réussir.

54 Quand j'ai dessiné les baobabs j'ai été animé par le sentiment de l'urgence.

You might be wondering: Why is it that in this book there aren't any other drawings as impressive as the drawing of the baobabs? The answer is very simple: I tried but I wasn't able to succeed. When I drew the baobabs I was spurred on by a sense of urgency.

CHAPITRE VI

1 Ah! petit prince, j'ai compris, peu à peu, ainsi, ta petite vie mélancolique. Tu n'avais eu longtemps pour distraction que la douceur des couchers de soleil.

3 J'ai appris ce détail nouveau, le quatrième jour au matin, quand tu m'as dit:

4 — J'aime bien les couchers de soleil. Allons voir un coucher de soleil...

6 — Mais il faut attendre...

7 — Attendre quoi?

8 — Attendre que le soleil se couche.

9 Tu as eu l'air très surpris d'abord, et puis tu as ri de toi-même. Et tu m'as dit:

11 — Je me crois toujours chez moi!

12 En effet. Quand il est midi aux Etats-Unis, le soleil, tout le monde sait, se couche sur la France.

14 Il suffirait de pouvoir aller en France en une minute pour assister au coucher de soleil. Malheureusement la France est bien trop éloignée. Mais, sur ta si petite planète, il te suffisait de tirer ta chaise de quelques pas.

17 Et tu regardais le crépuscule chaque fois que tu le désirais...

18 — Un jour, j'ai vu le soleil se coucher quarante-quatre fois!

CHAPTER VI

Oh! Little prince, in this way I came to understand, bit by bit, your little sad life. For a long time, your only entertainment was the softness of the sunsets. I learned this new detail on the fourth day, in the morning, when you said to me:

"I really like sunsets. Let's go and see a sunset now..."

"But you have to wait..."

"Wait for what?"

"Wait until the sun goes down."

You seemed very surprised at first, and then you laughed at yourself. And you said:

"I think myself at home still!"

Indeed. When it's noon in the United States, the sun, as everybody knows, is setting over France. It would suffice to be able to go to France in one minute to be able see the sunset. Unfortunately, France is much too far away. But on your tiny planet, all you needed was to pull your chair a few steps. And you would watch the twilight every time you wanted...

"One day I saw the sun set forty-four times!"

19	Et un peu plus tard tu ajoutais:	And a little later you added:
20	— Tu sais… quand on est tellement triste on aime les couchers de soleil…	"You know… when you're so sad, you love sunsets…"
21	— Le jour des quarante-quatre fois, tu étais donc tellement triste?	"The day with the forty-four times, were you really that sad then?"
22	Mais le petit prince ne répondit pas.	But the little prince didn't reply.

CHAPITRE VII	CHAPTER VII

1 Le cinquième jour, toujours grâce au mouton, ce secret de la vie du petit prince me fut révélé.

On the fifth day, again thanks to the sheep, this secret of the little prince's life was revealed to me.

2 Il me demanda avec brusquerie, sans préambule, comme le fruit d'un problème longtemps médité en silence:

He asked abruptly, without any prior indications, as if it were the fruit of a question long pondered in silence:

3 — Un mouton, s'il mange les arbustes, il mange aussi les fleurs?

"A sheep, if it eats shrubs, does it eat flowers too?"

4 — Un mouton mange tout ce qu'il rencontre.

"A sheep eats everything that it finds."

5 — Même les fleurs qui ont des épines?

"Even flowers that have thorns?"

6 — Oui. Même les fleurs qui ont des épines.

"Yes. Even flowers that have thorns."

8 — Alors les épines, à quoi servent-elles?

"What are the thorns for then?"

9 Je ne le savais pas. J'étais alors très occupé à essayer de dévisser un boulon trop serré de mon moteur.

I didn't know. At that moment I was very busy trying to unscrew an overtightened bolt in my engine.

11 J'étais très soucieux car ma panne commençait de m'apparaître comme très grave, et l'eau à boire qui s'épuisait me faisait craindre le pire.

I was very worried, as my breakdown was beginning to seem very serious, and the drinking water, that was running out, made me fear the worst.

12 — Les épines, à quoi servent-elles?

"What are the thorns for?"

13 Le petit prince ne renonçait jamais à une question, une fois qu'il l'avait posée. J'étais irrité par mon boulon et je répondis n'importe quoi:

The little prince never let go of a question, once he had asked it. I was upset over the bolt and I answered just anything:

15 — Les épines, ça ne sert à rien, c'est de la pure méchanceté de la part des fleurs!

"The thorns are of no use at all; it's just pure meanness on the part of the flowers!"

16 — Oh!

"Oh!"

17 Mais après un silence il me lança, avec une sorte de rancune:

But after a moment of silence, he exclaimed with a kind of resentment:

18 — Je ne te crois pas! Les fleurs sont faibles. Elles sont naïves. Elles se rassurent comme elles peuvent.
22 Elles se croient terribles avec leurs épines...

"I don't believe you! Flowers are weak. They're naïve. They reassure themselves as best they can. They think themselves dreadful with their thorns..."

23 Je ne répondis rien. A cet instant-là je me disais: « Si ce boulon résiste encore, je le ferai sauter d'un coup de marteau. » Le petit prince dérangea de nouveau mes réflexions:

I made no reply. At that moment I was thinking to myself: "If this bolt keeps resisting, I'll knock it out with the strike of hammer." The little prince again interrupted my thoughts:

26 — Et tu crois, toi, que les fleurs...	"And you actually believe that flowers—"
27 — Mais non! Mais non! Je ne crois rien! J'ai répondu n'importe quoi. Je m'occupe, moi, de choses sérieuses!	"No! No! I don't believe any of it! I answered just anything. I, myself, am busy with matters of consequence!"
32 Il me regarda stupéfait.	He looked at me, stunned.
33 — De choses sérieuses!	"Matters of consequence!"
34 Il me voyait, mon marteau à la main, et les doigts noirs de cambouis, penché sur un objet qui lui semblait très laid.	He saw me, my hammer in hand and my fingers black with grease, leaning over an object that seemed to him very ugly.
35 — Tu parles comme les grandes personnes!	"You talk just like the grown-ups!"
36 Ça me fit un peu honte. Mais, impitoyable, il ajouta:	That made me rather ashamed. But, relentlessly, he continued:
38 — Tu confonds tout... tu mélanges tout!	"You confuse everything... you mix everything up!"
39 Il était vraiment très irrité. Il secouait au vent des cheveux tout dorés:	He was really very angry. He shook his golden curls in the breeze:
41 — Je connais une planète où il y a un monsieur cramoisi. Il n'a jamais respiré une fleur. Il n'a jamais regardé une étoile. Il n'a jamais aimé personne. 45 Il n'a jamais rien fait d'autre que des additions. Et toute la journée il répète comme toi: « Je suis un homme sérieux! Je suis un homme sérieux! », et ça le fait gonfler d'orgueil. Mais ce n'est pas un homme, c'est un champignon!	"I know a planet where there is a red-faced man. He has never smelled a flower. He has never looked at a star. He has never loved anyone. He has never done anything but sums. And all day long, like you, he repeats: 'I am a man of consequence! I am a man of consequence!' And that makes him swell up with pride. But this is not a man, he's a mushroom!"
48 — Un quoi?	"A what?"
49 — Un champignon!	"A mushroom!"
50 Le petit prince était maintenant tout pâle de colère.	The little prince was now white with rage.
51 — Il y a des millions d'années que les fleurs fabriquent des épines. Il y a des millions d'années que les moutons mangent quand même les fleurs. Et ce n'est pas sérieux de chercher à comprendre pourquoi elles se donnent tant de mal pour se fabriquer des épines qui ne servent jamais à rien? Ce n'est pas important la guerre des moutons et des fleurs?	"Flowers have been producing thorns for millions of years. For millions of years, the sheep have eaten the flowers anyway. And it's not a matter of consequence to try to understand why they take so much trouble to produce thorns which are never of any use? Is the war of the flowers and the sheep not important?

55	Ce n'est pas plus sérieux et plus important que les additions d'un gros monsieur rouge? Et si je connais, moi, une fleur unique au monde, qui n'existe nulle part, sauf dans ma planète, et qu'un petit mouton peut anéantir d'un seul coup, comme ça, un matin, sans se rendre compte de ce qu'il fait, ce n'est pas important ça?	Is it not of more consequence and more important than the sums of a fat red-faced man? And if I myself know of a flower unique in the entire world, which is found nowhere but on my planet, and that a little sheep can destroy with a single blow, just like that, one morning, without realising what he's doing, is that not important?"
57	Il rougit, puis reprit:	He blushed, and continued:
58	— Si quelqu'un aime une fleur qui n'existe qu'à un exemplaire dans les millions et les millions d'étoiles, ça suffit pour qu'il soit heureux quand il les regarde.	"If someone loves a flower of which just one specimen exists amongst the millions and millions of stars, it's enough to make him happy when he looks at them.
59	Il se dit: « Ma fleur est là quelque part... » Mais si le mouton mange la fleur, c'est pour lui comme si, brusquement, toutes les étoiles s'éteignaient! Et ce n'est pas important ça!	He can say: 'My flower is out there somewhere...' But if the sheep eats the flower, for him it's as if suddenly all the stars had gone out! And that's not important!?"
62	Il ne put rien dire de plus. Il éclata brusquement en sanglots. La nuit était tombée. J'avais lâché mes outils.	He couldn't say anything more. He suddenly burst into tears. Night had fallen. I had put down my tools.
66	Je me moquais bien de mon marteau, de mon boulon, de la soif et de la mort. Il y avait sur une étoile, une planète, la mienne, la Terre, un petit prince à consoler!	I didn't care about my hammer, my bolt, or thirst, or death. There was on a star, a planet, my planet, Earth, a little prince to be comforted!
68	Je le pris dans les bras. Je le berçai. Je lui disais: « La fleur que tu aimes n'est pas en danger...	I took him in my arms. I rocked him. I said: "The flower that you love isn't in danger...
71	Je lui dessinerai une muselière, à ton mouton... Je te dessinerai une armure pour ta fleur... Je... » Je ne savais pas trop quoi dire. Je me sentais très maladroit.	I'll draw you a muzzle for your sheep... I'll draw you some armor for your flower... I..." I wasn't quite sure what to say. I felt very awkward.
75	Je ne savais comment l'atteindre, où le rejoindre... C'est tellement mystérieux, le pays des larmes.	I didn't know how to reach him, where to find him... It's so secretive, the land of tears.

Chapitre VIII

1. J'appris bien vite à mieux connaître cette fleur.

2. Il y avait toujours eu, sur la planète du petit prince, des fleurs très simples, ornées d'un seul rang de pétales, et qui ne tenaient point de place, et qui ne dérangeaient personne. Elles apparaissaient un matin dans l'herbe, et puis elles s'éteignaient le soir.

4. Mais celle-là avait germé un jour, d'une graine apportée d'on ne sait où, et le petit prince avait surveillé de très près cette brindille qui ne ressemblait pas aux autres brindilles. Ça pouvait être un nouveau genre de baobab. Mais l'arbuste cessa vite de croître, et commença de préparer une fleur.

7. Le petit prince, qui assistait à l'installation d'un bouton énorme, sentait bien qu'il en sortirait une apparition miraculeuse, mais la fleur n'en finissait pas de se préparer à être belle, à l'abri de sa chambre verte.

8. Elle choisissait avec soin ses couleurs. Elle s'habillait lentement, elle ajustait un à un ses pétales. Elle ne voulait pas sortir toute fripée comme les coquelicots.

11. Elle ne voulait apparaître que dans le plein rayonnement de sa beauté. Eh! oui. Elle était très coquette!

14. Sa toilette mystérieuse avait donc duré des jours et des jours. Et puis voici qu'un matin, justement à l'heure du lever du soleil, elle s'était montrée.

16. Et elle, qui avait travaillé avec tant de précision, dit en bâillant:

17. — Ah! je me réveille à peine... Je vous demande pardon... Je suis encore toute décoiffée...

20. Le petit prince, alors, ne put contenir son admiration:

21. — Que vous êtes belle!

I very quickly learned to know this flower better. There had always been very simple flowers on the planet of the little prince, decorated with a single row of petals, that didn't take up any space, and didn't bother anyone. They would appear one morning in the grass, and in evening they'd fade away. But this one had sprouted one day, from a seed blown in from who knows where, and the little prince had watched very closely this sprout that didn't look like the other sprouts. It could have been a new kind of baobab. But the shrub soon stopped growing and began to produce a flower. The little prince, who witnessed the appearance of a huge bud, felt clearly that a miraculous apparition must emerge from it, but the flower never finished preparing for her future beauty, safe in her green chamber. She chose her colours carefully. She dressed slowly; she arranged her petals one by one. She did not want to come out all rumpled, like the poppies. She only wanted to appear in the full radiance of her beauty. Oh yes! She was a very flirtatious creature! Her mysterious adornment had thus lasted for days and days. Then it happened that one morning, exactly at sunrise, she had shown herself.

And, having worked with such precision, she said with a yawn:

"Oh! I have only just woken up... I do apologize... I am not yet presentable"

The little prince couldn't contain his admiration:

"You're so beautiful!"

22	— N'est-ce pas, répondit doucement la fleur. Et je suis née en même temps que le soleil...	"Am I not?" the flower responded, softly. "And I was born at the same moment as the sun..."
24	Le petit prince devina bien qu'elle n'était pas trop modeste, mais elle était si émouvante!	The little prince correctly guessed that she wasn't very modest, but how ravishing she was!
25	— C'est l'heure, je crois, du petit déjeuner, avait-elle bientôt ajouté, auriez-vous la bonté de penser à moi...	"It's time, I think, for breakfast," she had soon added, "If you would have the kindness to think of my needs..."
26	Et le petit prince, tout confus, ayant été cherché un arrosoir d'eau fraîche, avait servi la fleur.	And the little prince, completely abashed, having gone to look for a sprinkling can of fresh water, tended to the flower.

27	Ainsi l'avait-elle bien vite tourmenté par sa vanité un peu ombrageuse. Un jour, par exemple, parlant de ses quatre épines, elle avait dit au petit prince:	And like that, she had soon tormented him with her vanity, which was somewhat delicate. One day, for example, whilst talking about her four thorns, she had told the little prince:
29	— Ils peuvent venir, les tigres, avec leurs griffes!	"Let them come, the tigers, with their claws!"

30	— Il n'y a pas de tigres sur ma planète, avait objecté le petit prince, et puis les tigres ne mangent pas d'herbe.	"There aren't any tigers on my planet," the little prince had objected, "and tigers don't eat grass."

30 — Il n'y a pas de tigres sur ma planète, avait objecté le petit prince, et puis les tigres ne mangent pas d'herbe.

"There aren't any tigers on my planet," the little prince had objected, "and tigers don't eat grass."

31 — Je ne suis pas une herbe, avait doucement répondu la fleur.

"I am not a grass," the flower replied softly.

32 — Pardonnez-moi...

"Please forgive me..."

33 — Je ne crains rien des tigres, mais j'ai horreur des courants d'air. Vous n'auriez pas un paravent?

"I do not fear tigers, but I detest drafts. You wouldn't happen to have a screen?"

35 « Horreur des courants d'air... ce n'est pas de chance, pour une plante, avait remarqué le petit prince. Cette fleur est bien compliquée... »

"Detests drafts... that's bad luck for a plant," the little prince had remarked. "This flower is very complicated..."

37 — Le soir vous me mettrez sous un globe. Il fait très froid chez vous. C'est mal installé. Là d'où je viens...

"In the evening you will put me under a dome. It is very cold where you live. It's poorly arranged. Where I come from..."

41 Mais elle s'était interrompue. Elle était venue sous forme de graine. Elle n'avait rien pu connaître des autres mondes. Humiliée de s'être laissé surprendre à préparer un mensonge aussi naïf, elle avait toussé deux ou trois fois, pour mettre le petit prince dans son tort:

But she had interrupted herself. She had come in the form of a seed. She couldn't have known anything of other worlds. Humiliated by having allowed herself to be caught fabricating such a naïve lie, she had coughed two or three times to put the little prince in the wrong.

45 — Ce paravent?...

"The screen...?"

46 — J'allais le chercher mais vous me parliez!

"I was going to look for it but you were talking to me!"

47 Alors elle avait forcé sa toux pour lui infliger quand même des remords.

Then she forced a cough to impose on him remorse all the same.

| 48 | Ainsi le petit prince, malgré la bonne volonté de son amour, avait vite douté d'elle. Il avait pris au sérieux des mots sans importance, et était devenu très malheureux. | So the little prince, despite the good will of his love, had soon come to doubt her. He had taken seriously words of no importance, and had become very unhappy. |

| 50 | « J'aurais dû ne pas l'écouter, me confia-t-il un jour, il ne faut jamais écouter les fleurs. Il faut les regarder et les respirer. La mienne embaumait ma planète, mais je ne savais pas m'en réjouir. Cette histoire de griffes, qui m'avait tellement agacé, eût dû m'attendrir... » | "I shouldn't have listened to her," he told me one day, "you should never listen to the flowers. We must look at them and inhale their scent. Mine filled my planet with fragrance, but I didn't know how to take pleasure in it. This business of the claws, which had annoyed me so much, should only have filled me with tenderness..." |

| 54 | Il me confia encore: | He continued his confidences: |

| 55 | « Je n'ai alors rien su comprendre! J'aurais dû la juger sur les actes et non sur les mots. Elle m'embaumait et m'éclairait. Je n'aurais jamais dû m'enfuir! J'aurais dû deviner sa tendresse derrière ses pauvres ruses. Les fleurs sont si contradictoires! Mais j'étais trop jeune pour savoir l'aimer. » | "Just then I didn't know how to understand! I should have judged her by her acts and not by her words. She enveloped me with her fragrance and light. I should never have run away! I should have guessed the tenderness behind her poor little stratagems. Flowers are so contradictory! But I was too young to know how to love her." |

Chapitre IX

1 Je crois qu'il profita, pour son évasion, d'une migration d'oiseaux sauvages. Au matin du départ il mit sa planète bien en ordre. Il ramona soigneusement ses volcans en activité. Il possédait deux volcans en activité. Et c'était bien commode pour faire chauffer le petit déjeuner du matin.

6 Il possédait aussi un volcan éteint. Mais, comme il disait, « On ne sait jamais! » Il ramona donc également le volcan éteint. S'ils sont bien ramonés, les volcans brûlent doucement et régulièrement, sans éruptions.

10 Les éruptions volcaniques sont comme des feux de cheminée. Évidemment sur notre terre nous sommes beaucoup trop petits pour ramoner nos volcans. C'est pourquoi ils nous causent des tas d'ennuis.

13 Le petit prince arracha aussi, avec un peu de mélancolie, les dernières pousses de baobabs. Il croyait ne jamais devoir revenir. Mais tous ces travaux familiers lui parurent, ce matin-là, extrêmement doux.

16 Et, quand il arrosa une dernière fois la fleur, et se prépara à la mettre à l'abri sous son globe, il se découvrit l'envie de pleurer.

17 — Adieu, dit-il à la fleur.

18 Mais elle ne lui répondit pas.

19 — Adieu, répéta-t-il.

20 La fleur toussa. Mais ce n'était pas à cause de son rhume.

22 — J'ai été sotte, lui dit-elle enfin. Je te demande pardon. Tâche d'être heureux.

25 Il fut surpris par l'absence de reproches. Il restait là tout déconcentré, le globe en l'air. Il ne comprenait pas cette douceur calme.

28 — Mais oui, je t'aime, lui dit la fleur. Tu n'en as rien su, par ma faute. Cela n'a aucune importance.

31 Mais tu as été aussi sot que moi. Tâche d'être heureux... Laisse ce globe tranquille. Je n'en veux plus.

35 — Mais le vent...

I think that for his escape he took advantage of a migration of a flock of wild birds. On the morning of his departure he put his planet in perfect order. He carefully swept out his active volcanoes. He owned two active volcanoes. It was very convenient for heating his breakfast in the morning.

He also owned an extinct volcano. But, as he used to say, "You never know!" So he swept out the extinct volcano, too. If they are well swept, volcanoes burn slowly and steadily, without any eruptions. Volcanic eruptions are like chimney fires. Of course, on our earth we're much too small to sweep out our volcanoes. That's why they cause us no end of trouble.

The little prince also pulled up, with a hint of sadness, the last baobab shoots. He thought he would never have to come back. But all these familiar tasks seemed to him, on that morning, very sweet. And when he watered the flower one last time, and prepared to shelter her under her dome, he found himself close to tears.

"Goodbye," he said to the flower.

But she didn't answer.

"Goodbye," he said again.

The flower coughed. But it was not because of her cold.

"I have been foolish," she told him finally. "I ask your forgiveness. Try to be happy."

He was surprised by the absence of reproaches. He stood there bewildered, the dome in mid-air. He didn't understand this quiet sweetness.

"Of course I love you," the flower said to him. "It's my fault that you didn't know. That is of no importance. But you have been just as foolish as I have. Try to be happy... Let the dome be. I do not want it anymore."

"But the wind—"

36	— Je ne suis pas si enrhumée que ça… L'air frais de la nuit me fera du bien. Je suis une fleur.	"My cold is not all that bad… The cool night air will do me good. I am a flower."
39	— Mais les bêtes…	"But the animals—"
40	— Il faut bien que je supporte deux ou trois chenilles si je veux connaître les papillons. Il paraît que c'est tellement beau. Sinon qui me rendra visite? Tu seras loin, toi. Quant aux grosses bêtes, je ne crains rien. J'ai mes griffes.	"I will have to endure two or three caterpillars if I wish to become acquainted with the butterflies. It seems that they are very beautiful. And otherwise who will come to visit me? You will be far away. As for the large animals, I am not afraid of anything. I have my claws."
46	Et elle montrait naïvement ses quatre épines. Puis elle ajouta:	And she naïvely showed her four thorns. Then she added:
48	— Ne traîne pas comme ça, c'est agaçant. Tu as décidé de partir. Va-t'en.	"Don't linger like this, it's tiresome. You have decided to leave. Now go!"
51	Car elle ne voulait pas qu'il la vît pleurer. C'était une fleur tellement orgueilleuse…	For she did not want him to see her crying. She was such a proud flower…

CHAPITRE X

1. Il se trouvait dans la région des astéroïdes 325, 326, 327, 328, 329 et 330. Il commença donc par les visiter pour y chercher une occupation et pour s'instruire.

He found himself in the neighborhood of the asteroids 325, 326, 327, 328, 329, and 330. So he began by visiting them to seek an occupation and to learn.

3. Le premier était habité par un roi. Le roi siégeait, habillé de pourpre et d'hermine, sur un trône très simple et cependant majestueux.

The first one was inhabited by a king. The king sat, dressed in purple and ermine, on a very simple, yet majestic, throne.

5. — Ah! Voilà un sujet, s'écria le roi quand il aperçut le petit prince.

"Ah! Here is a subject," exclaimed the king, when he caught sight of the little prince.

6. Et le petit prince se demanda:

And the little prince asked himself:

7. — Comment peut-il me reconnaître puisqu'il ne m'a encore jamais vu!

"How could he recognise me when he's never seen me before?"

8. Il ne savait pas que, pour les rois, le monde est très simplifié. Tous les hommes sont des sujets.

He didn't know that for Kings, the world is very much simplified. All men are subjects.

10. — Approche-toi que je te voie mieux, lui dit le roi qui était tout fier d'être enfin roi pour quelqu'un.

"Approach, so that I may see you better," said the king, who was very proud to finally be king over somebody.

11. Le petit prince chercha des yeux où s'asseoir, mais la planète était tout encombrée par le magnifique manteau d'hermine. Il resta donc debout, et, comme il était fatigué, il bâilla.

The little prince looked around for a place to sit, but the planet was completely taken over by the magnificent ermine robe. So he remained standing, and, since he was tired, he yawned.

13. — Il est contraire à l'étiquette de bâiller en présence d'un roi, lui dit le monarque. Je te l'interdis.

"It is contrary to etiquette to yawn in the presence of a king," the monarch said to him. "I forbid you to do so."

15. — Je ne peux pas m'en empêcher, répondit le petit prince tout confus. J'ai fait un long voyage et je n'ai pas dormi...

"I can't stop myself," replied the little prince, thoroughly embarrassed. "I've come on a long journey, and I haven't slept..."

17. — Alors, lui dit le roi, je t'ordonne de bâiller. Je n'ai vu personne bâiller depuis des années.

"In that case," the king told him, "I order you to yawn. I have not seen anyone yawning for years.

19. Les bâillements sont pour moi des curiosités. Allons! bâille encore. C'est un ordre.

Yawns, for me, are objects of curiosity. Come, now! Yawn again! It is an order."

22. — Ça m'intimide... je ne peux plus... fit le petit prince tout rougissant.

"That makes me shy... I can't any more..." said the little prince, blushing.

23. — Hum! Hum! répondit le roi. Alors je... je t'ordonne tantôt de bâiller et tantôt de...

"Hum! Hum!" replied the king. "Then I... I order you sometimes to yawn and sometimes to..."

25	Il bredouillait un peu et paraissait vexé.	He sputtered a bit, and seemed upset.

| 26 | Car le roi tenait essentiellement à ce que son autorité fût respectée. Il ne tolérait pas la désobéissance. | For the king fundamentally insisted that his authority be respected. He didn't tolerate disobedience. |
| 28 | C'était un monarque absolu. Mais, comme il était très bon, il donnait des ordres raisonnables. | He was an absolute monarch. But, because he was good at heart, he gave reasonable orders. |

| 30 | « Si j'ordonnais, disait-il couramment, si j'ordonnais à un général de se changer en oiseau de mer, et si le général n'obéissait pas, ce ne serait pas la faute du général. Ce serait ma faute. » | "If I ordered," he would often say, "if I ordered a general to change himself into a seabird, and if the general did not obey, it would not be the general's fault. It would be my fault." |

| 32 | — Puis-je m'asseoir? s'enquit timidement le petit prince. | "May I sit down?" the little prince enquired timidly. |

| 33 | — Je t'ordonne de t'asseoir, lui répondit le roi, qui ramena majestueusement un pan de son manteau d'hermine. | "I order you to sit down," replied the king, who majestically gathered in a fold of his ermine mantle. |

| 34 | Mais le petit prince s'étonnait. La planète était minuscule. Sur quoi le roi pouvait-il bien régner? | But the little prince was astonished. The planet was tiny. Over what could this king really rule? |

| 37 | — Sire, lui dit-il... je vous demande pardon de vous interroger... | "Sire... ," he said to him, "excuse my asking you a question... " |

| 38 | — Je t'ordonne de m'interroger, se hâta de dire le roi. | "I order you to ask me a question," the king rushed to say. |

| 39 | — Sire... sur quoi régnez-vous? | "Sire... over what do you rule?" |

| 40 | — Sur tout, répondit le roi, avec une grande simplicité. | "Over everything," said the king, with a magnificent simplicity. |

| 41 | — Sur tout? | "Over everything?" |

| 42 | Le roi d'un geste discret désigna sa planète, les autres planètes et les étoiles. | The king, with a subtle gesture, pointed out his planet, the other planets and the stars. |

| 43 | — Sur tout ça? dit le petit prince. | "Over all that?" asked the little prince. |

| 44 | — Sur tout ça... répondit le roi. | "Over all that... ," the king answered. |

| 45 | Car non seulement c'était un monarque absolu mais c'était un monarque universel. | For he was not only an absolute monarch: he was a universal monarch. |

| 46 | — Et les étoiles vous obéissent? | "And the stars obey you?" |

| 47 | — Bien sûr, lui dit le roi. Elles obéissent aussitôt. | "Of course," the king said. "They obey immediately. |
| 49 | Je ne tolère pas l'indiscipline. | I do not tolerate insubordination." |

50 Un tel pouvoir émerveilla le petit prince. S'il l'avait détenu lui-même, il aurait pu assister, non pas à quarante-quatre, mais à soixante-douze, ou même à cent, ou même à deux cents couchers de soleil dans la même journée, sans avoir jamais à tirer sa chaise!

52 Et comme il se sentait un peu triste à cause du souvenir de sa petite planète abandonnée, il s'enhardit à solliciter une grâce du roi:

53 — Je voudrais voir un coucher de soleil... Faites-moi plaisir... Ordonnez au soleil de se coucher...

56 — Si j'ordonnais à un général de voler d'une fleur à l'autre à la façon d'un papillon, ou d'écrire une tragédie, ou de se changer en oiseau de mer, et si le général n'exécutait pas l'ordre reçu, qui, de lui ou de moi, serait dans son tort?

57 — Ce serait vous, dit fermement le petit prince.

58 — Exact. Il faut exiger de chacun ce que chacun peut donner, reprit le roi. L'autorité repose d'abord sur la raison. Si tu ordonnes à ton peuple d'aller se jeter à la mer, il fera la révolution. J'ai le droit d'exiger l'obéissance parce que mes ordres sont raisonnables.

63 — Alors mon coucher de soleil? rappela le petit prince qui jamais n'oubliait une question une fois qu'il l'avait posée.

64 — Ton coucher de soleil, tu l'auras. Je l'exigerai.
66 Mais j'attendrai, dans ma science du gouvernement, que les conditions soient favorables.

67 — Quand ça sera-t-il? s'informa le petit prince.

68 — Hem! hem! lui répondit le roi, qui consulta d'abord un gros calendrier, hem! hem! ce sera, vers... vers... ce sera ce soir vers sept heures quarante! Et tu verras comme je suis bien obéi.

70 Le petit prince bâilla. Il regrettait son coucher de soleil manqué. Et puis il s'ennuyait déjà un peu:

73 — Je n'ai plus rien à faire ici, dit-il au roi. Je vais repartir!

Such power filled the little prince with wonder. If he had held it himself, he would have been able to watch, not forty-four, but seventy-two, or even a hundred, or even two hundred sunsets on the same day, without ever having to move his chair! And as he felt a bit sad as he remembered his forsaken little planet, he plucked up his courage to ask the king a favour:

"I'd like to see a sunset... Do that for me... Order the sun to set..."

"If I ordered a general to fly from one flower to another like a butterfly, or to write a tragic drama, or to change himself into a sea bird, and if the general did not carry out the order received, which one of us would be in the wrong?"

"It would be you," said the little prince firmly.

"Exactly. One must ask of each person that which they can give," the king went on. "Authority is based, first and foremost, on reason. If you order your people to go and throw themselves into the sea, they will rise up in revolution. I have the right to demand obedience because my orders are reasonable."

"Then my sunset?" the little prince reminded him, who never forgot a question once he had asked it.

"You shall have your sunset. I shall demand it. But I shall wait, according to my science of government, until the conditions are favourable."

"When will that be?" inquired the little prince.

"Hum! hum!" replied the king, who first consulted a bulky almanac. "Hum! Hum! That will be about... about... that will be this evening about twenty minutes to eight. And you will see how well I am obeyed!"

The little prince yawned. He was sorry for his lost sunset. And then he was already getting a little bored.

"I have nothing more to do here," he said to the king. "I'll set off again."

75	— Ne pars pas, répondit le roi qui était si fier d'avoir un sujet. Ne pars pas, je te fais ministre!	"Do not go," said the king, who was very proud of having a subject. "Do not go. I will make you a Minister!"

— Ne pars pas, répondit le roi qui était si fier d'avoir un sujet. Ne pars pas, je te fais ministre!

"Do not go," said the king, who was very proud of having a subject. "Do not go. I will make you a Minister!"

77 — Ministre de quoi?

"Minister of what?"

78 — De... de la justice!

"Minster of... of Justice!"

79 — Mais il n'y a personne à juger!

"But there's nobody to judge!"

80 — On ne sait pas, lui dit le roi. Je n'ai pas fait encore le tour de mon royaume. Je suis très vieux, je n'ai pas de place pour un carrosse, et ça me fatigue de marcher.

"We do not know that," the king said to him. "I have not yet gone all the way around my kingdom. I am very old; I have no space for a carriage and it tires me to walk."

83 — Oh! Mais j'ai déjà vu, dit le petit prince qui se pencha pour jeter encore un coup d'œil sur l'autre côté de la planète. Il n'y a personne là-bas non plus...

"Oh, but I've already seen!" said the little prince, who leant over to give one more glance at the other side of the planet. "There is no one down there either..."

85 — Tu te jugeras donc toi-même, lui répondit le roi.
86 C'est le plus difficile. Il est bien plus difficile de se juger soi-même que de juger autrui. Si tu réussis à bien te juger, c'est que tu es un véritable sage.

"Then you shall judge yourself," the king answered. "That is the most difficult thing of all. It is much more difficult to judge oneself than to judge someone else. If you succeed in judging yourself well, then you are truly a wise person."

89 — Moi, dit le petit prince, je puis me juger moi-même n'importe où. Je n'ai pas besoin d'habiter ici.

"I," said the little prince, "I can judge myself anywhere. I don't need to live here."

91 — Hem! hem! dit le roi, je crois bien que sur ma planète il y a quelque part un vieux rat. Je l'entends la nuit. Tu pourras juger ce vieux rat.
94 Tu le condamneras à mort de temps en temps.
95 Ainsi sa vie dépendra de ta justice. Mais tu le gracieras chaque fois pour l'économiser. Il n'y en a qu'un.

"Hum! hum!" said the king. "I am fairly certain that somewhere on my planet there is an old rat. I hear him at night. You can judge this old rat. From time to time you will condemn him to death. Thus his life will depend on your justice. But you will pardon him on each occasion to conserve him. There is only one of him."

98 — Moi, répondit le petit prince, je n'aime pas condamner à mort, et je crois bien que je m'en vais.

"I," replied the little prince, "don't like to condemn anyone to death, and now I think I'll leave."

99 — Non, dit le roi.

"No," said the king.

100 Mais le petit prince, ayant achevé ses préparatifs, ne voulut point peiner le vieux monarque:

But the little prince, having completed his preparations, had no wish to grieve the old monarch.

101	— Si Votre Majesté désirait être obéie ponctuellement, elle pourrait me donner un ordre raisonnable. Elle pourrait m'ordonner, par exemple, de partir avant une minute. Il me semble que les conditions sont favorables...	"If Your Majesty wished to be promptly obeyed, he could give me a reasonable order. He could order me, for example, to leave within a minute. It seems to me that the conditions are favourable..."
104	Le roi n'ayant rien répondu, le petit prince hésita d'abord, puis, avec un soupir, prit le départ.	As the king had made no answer, the little prince at first hesitated, then, with a sigh, set off.
105	— Je te fais mon ambassadeur, se hâta alors de crier le roi.	"I make you my Ambassador," the king hurriedly cried out.
106	Il avait un grand air d'autorité.	He had a magnificent air of authority.
107	Les grandes personnes sont bien étranges, se dit le petit prince, en lui-même, durant son voyage.	"The grown-ups are very strange," the little prince said to himself, as he continued on his journey.

Chapitre XI

1   La seconde planète était habitée par un vaniteux :

The second planet was inhabited by a vain man.

2   — Ah! Ah! Voilà la visite d'un admirateur! s'écria de loin le vaniteux dès qu'il aperçut le petit prince.

"Ah! Here comes a visit from an admirer!" exclaimed the vain man from afar, the moment he spotted the little prince.

3   Car, pour les vaniteux, les autres hommes sont des admirateurs.

Because, to vain men, all other men are admirers.

4   — Bonjour, dit le petit prince. Vous avez un drôle de chapeau.

"Good morning," said the little prince. "You have a funny hat."

6   — C'est pour saluer, lui répondit le vaniteux. C'est pour saluer quand on m'acclame. Malheureusement il ne passe jamais personne par ici.

"It's for saluting," the vain man replied. "It's to raise in salute when people acclaim me. Unfortunately, nobody ever passes by this way."

9   — Ah oui? dit le petit prince qui ne comprit pas.

"Oh, really?" said the little prince, who didn't understand.

10   — Frappe tes mains l'une contre l'autre, conseilla donc le vaniteux.

"Clap your hands, one against the other," the vain man advised.

11   Le petit prince frappa ses mains l'une contre l'autre. Le vaniteux salua modestement en soulevant son chapeau.

The little prince clapped his hands, one against the other. The vain man raised his hat in a modest salute.

13   « Ça c'est plus amusant que la visite au roi », se dit en lui-même le petit prince. Et il recommença de frapper ses mains l'une contre l'autre. Le vaniteux recommença de saluer en soulevant son chapeau.

"This is more fun than the visit to the king," the little prince said to himself. And he began again to clap his hands, one against the other. The vain man again raised his hat in a salute.

16   Après cinq minutes d'exercice le petit prince se fatigua de la monotonie du jeu :

After five minutes of this exercise the little prince grew tired of the monotony of the game:

17   — Et, pour que le chapeau tombe, demanda-t-il, que faut-il faire ?

"And to make the hat come down," he asked, "what should I do?"

18   Mais le vaniteux ne l'entendit pas. Les vaniteux n'entendent jamais que les louanges.

But the vain man didn't hear him. Vain people never hear anything but praise.

20   — Est-ce que tu m'admires vraiment beaucoup? demanda-t-il au petit prince.

"Do you really admire me a lot?" he asked the little prince.

21   — Qu'est-ce que signifie « admirer » ?

"What does that mean—'to admire'?"

22 — « Admirer » signifie « reconnaître que je suis l'homme le plus beau, le mieux habillé, le plus riche et le plus intelligent de la planète. »

23 — Mais tu es seul sur ta planète!

24 — Fais-moi ce plaisir. Admire-moi quand-même!

26 — Je t'admire, dit le petit prince, en haussant un peu les épaules, mais en quoi cela peut-il bien t'intéresser?

27 Et le petit prince s'en fut.

28 « Les grandes personnes sont décidément bien bizarres », se dit-il en lui-même durant son voyage.

"'To admire' means 'to recognise that I'm the most handsome, the best-dressed, the richest, and the most intelligent person on the planet.'"

"But you're the only person on your planet!"

"Do it for me. Admire me anyway."

"I admire you," said the little prince, shrugging his shoulders a little, "but how can that be so important to you?"

And the little prince went away.

"The grown-ups are certainly very odd," he said to himself during his journey.

Chapitre XII

1 La planète suivante était habitée par un buveur.
2 Cette visite fut très courte, mais elle plongea le petit prince dans une grande mélancolie:

3 — Que fais-tu là? dit-il au buveur, qu'il trouva installé en silence devant une collection de bouteilles vides et une collection de bouteilles pleines.

4 — Je bois, répondit le buveur, d'un air lugubre.

5 — Pourquoi bois-tu? lui demanda le petit prince.

6 — Pour oublier, répondit le buveur.

7 — Pour oublier quoi? s'enquit le petit prince qui déjà le plaignait.

8 — Pour oublier que j'ai honte, avoua le buveur en baissant la tête.

9 — Honte de quoi? s'informa le petit prince qui désirait le secourir.

10 — Honte de boire! acheva le buveur qui s'enferma définitivement dans le silence.

11 Et le petit prince s'en fut, perplexe.

12 Les grandes personnes sont décidément très très bizarres, se disait-il en lui-même durant le voyage.

Chapter XII

The next planet was inhabited by a drunkard. This was a very short visit, but it plunged the little prince into a profound sadness.

"What are you doing here?" he said to the drunkard, who he found sat in silence in front of a collection of empty bottles and a collection of full bottles.

"I'm drinking," replied the drunkard, gloomily.

"Why are you drinking?" the little prince asked him.

"To forget," replied the drunkard.

"To forget what?" asked the little prince, who already felt sorry for him.

"To forget that I'm ashamed," confessed the drunkard, lowering his head.

"Ashamed of what?" inquired the little prince, who wanted to help him.

"Ashamed of drinking!" concluded the drunkard, who then shut himself in silence for good.

And the little prince went away, puzzled.

"The grown-ups are certainly very, very odd," he said to himself, as he continued on his journey.

CHAPITRE XIII

1 La quatrième planète était celle du businessman.
2 Cet homme était si occupé qu'il ne leva même pas la tête à l'arrivée du petit prince.

3 — Bonjour, lui dit celui-ci. Votre cigarette est éteinte.

5 — Trois et deux font cinq. Cinq et sept douze.
7 Douze et trois quinze. Bonjour. Quinze et sept vingt-deux. Vingt-deux et six vingt-huit. Pas le temps de la rallumer. Vingt-six et cinq trente et un. Ouf! Ça fait donc cinq cent un millions six cent vingt-deux mille sept cent trente et un.

15 — Cinq cents millions de quoi?

16 — Hein? Tu es toujours là? Cinq cent un millions de... je ne sais plus... J'ai tellement de travail!
20 Je suis sérieux, moi, je ne m'amuse pas à des balivernes! Deux et cinq sept...

22 — Cinq cent un millions de quoi? répéta le petit prince qui jamais de sa vie n'avait renoncé à une question, une fois qu'il l'avait posée.

23 Le businessman leva la tête:

24 — Depuis cinquante-quatre ans que j'habite cette planète-ci, je n'ai été dérangé que trois fois.
25 La première fois ç'a été, il y a vingt-deux ans, par un hanneton qui était tombé Dieu sait d'où.
26 Il répandait un bruit épouvantable, et j'ai fait quatre erreurs dans une addition. La seconde fois ç'a été, il y a onze ans, par une crise de rhumatisme.
28 Je manque d'exercice. Je n'ai pas le temps de flâner. Je suis sérieux, moi. La troisième fois... la voici! Je disais donc cinq cent un millions...

33 — Millions de quoi?

34 Le businessman comprit qu'il n'était point d'espoir de paix:

The fourth planet belonged to a businessman. This man was so busy that he didn't even raise his head when the little prince arrived.

"Good morning," he said to him. "Your cigarette has gone out."

"Three and two make five. Five and seven make twelve. Twelve and three make fifteen. Good morning. Fifteen and seven make twenty-two. Twenty-two and six make twenty-eight. No time to light it again. Twenty-six and five make thirty-one. Phew! Then that makes five-hundred-and-one million, six-hundred-twenty-two-thousand, seven-hundred-thirty-one."

"Five hundred million what?"

"Huh? Are you still here? Five-hundred-and-one million... I don't know anymore... I have so much work! I am a man of consequence, I don't amuse myself with balderdash! Two and five make seven..."

"Five-hundred-and-one million what?" repeated the little prince, who had never in his life let go of a question, once he had asked it.

The businessman raised his head.

"During the fifty-four years that I've lived on this planet, I've only been disturbed three times. The first time was twenty-two years ago, by some noisybug who fell from God-knows-where. He made the most dreadful noise, and I made four mistakes in a sum. The second time was eleven years ago, by an attack of rheumatism. I don't get enough exercise. I don't have time to stroll about. I am a man of consequence. The third time... well, this is it! I was saying, then, five-hundred-and-one million... "

"Million what?"

The businessman realised that there was no hope of peace:

35	— Millions de ces petites choses que l'on voit quelquefois dans le ciel.	"Millions of those little things that you see in the sky sometimes."
36	— Des mouches ?	"Flies?"
37	— Mais non, des petites choses qui brillent.	"No, no, the little things that shine."
38	— Des abeilles ?	"Bees?"
39 42	— Mais non. Des petites choses dorées qui font rêvasser les fainéants. Mais je suis sérieux, moi ! Je n'ai pas le temps de rêvasser.	"No, no! The little golden things that make lazy men daydream. But I am a man of consequence! I have no time to daydream."
43	— Ah! des étoiles ?	"Ah! The stars?"
44	— C'est bien ça. Des étoiles.	"Yes, that's it. The stars."
46	— Et que fais-tu de cinq cents millions d'étoiles ?	"And what do you do with five-hundred million stars?"
47	— Cinq cent un millions six cent vingt-deux mille sept cent trente et un. Je suis sérieux, moi, je suis précis.	"Five hundred and one million, six hundred twenty two thousand, seven hundred and thirty one. I am a man of consequence: I am precise."
49	— Et que fais-tu de ces étoiles ?	"And what do you do with these stars?"
50	— Ce que j'en fais ?	"What do I do with them?"
51	— Oui.	"Yes."
52	— Rien. Je les possède.	"Nothing. I own them."
54	— Tu possèdes les étoiles ?	"You own the stars?"
55	— Oui.	"Yes."
56	— Mais j'ai déjà vu un roi qui...	"But I've already seen a king who—"
57	— Les rois ne possèdent pas. Ils « règnent » sur. C'est très différent.	"Kings do not own. They 'reign' over. It's very different."
60	— Et à quoi cela te sert-il de posséder les étoiles ?	"And of what use is it to you to own the stars?"
61	— Ça me sert à être riche.	"It's use is to make me rich."
62	— Et à quoi cela te sert-il d'être riche ?	"And of what use is it to you to be rich?"
63	— À acheter d'autres étoiles, si quelqu'un en trouve.	"To buy more stars, if someone discovers some more."

64	Celui-là, se dit en lui-même le petit prince, il raisonne un peu comme mon ivrogne.	"This man," the little prince said to himself, "reasons a bit like my poor drunkard."
65	Cependant il posa encore des questions:	Yet he asked some more questions:
66	— Comment peut-on posséder les étoiles?	"How can you own the stars?"
67	— A qui sont-elles? riposta, grincheux, le businessman.	"Whose are they?" the businessman retorted, grumpily.
68	— Je ne sais pas. A personne.	"I don't know. Nobody's."
70	— Alors elles sont à moi, car j'y ai pensé le premier.	"Then they are mine, because I thought of it first."
71	— Ça suffit?	"Is that enough?"
72	— Bien sûr. Quand tu trouves un diamant qui n'est à personne, il est à toi. Quand tu trouves une île qui n'est à personne, elle est à toi. Quand tu as une idée le premier, tu la fais breveter: elle est à toi.	"Certainly. When you find a diamond that belongs to nobody, it's yours. When you discover an island that belongs to nobody, it's yours. When you have an idea first, you take out a patent: it's yours.
76	Et moi je possède les étoiles, puisque jamais personne avant moi n'a songé à les posséder.	And I own the stars, because no one before me ever thought of owning them."
77	— Ça c'est vrai, dit le petit prince. Et qu'en fais-tu?	"Yes, that's true," said the little prince. "And what do you do with them?"
79	— Je les gère. Je les compte et je les recompte, dit le businessman. C'est difficile. Mais je suis un homme sérieux!	"I administer them. I count and recount them," said the businessman. "It's difficult. But I am a man of consequence."
83	Le petit prince n'était pas satisfait encore.	The little prince was still not satisfied.
84	— Moi, si je possède un foulard, je puis le mettre autour de mon cou et l'emporter. Moi, si je possède une fleur, je puis cueillir ma fleur et l'emporter.	"If I own a scarf, I can put it around my neck and take it away with me. If I own a flower, I can pick my flower and take it away with me.
86	Mais tu ne peux pas cueillir les étoiles!	But you can't pick the stars."
87	— Non, mais je puis les placer en banque.	"No. But I can put them in the bank."
88	— Qu'est-ce que ça veut dire?	"What does that mean?"
89	— Ça veut dire que j'écris sur un petit papier le nombre de mes étoiles. Et puis j'enferme à clef ce papier-là dans un tiroir.	"That means that I write the number of my stars on a little paper. And then I lock that paper in a drawer."
91	— Et c'est tout?	"And that's all?"
92	— Ça suffit!	"That's enough!"

93 « C'est amusant, pensa le petit prince. C'est assez poétique. Mais ce n'est pas très sérieux. »

96 Le petit prince avait sur les choses sérieuses des idées très différentes des idées des grandes personnes.

97 — Moi, dit-il encore, je possède une fleur que j'arrose tous les jours. Je possède trois volcans que je ramone toutes les semaines. Car je ramone aussi celui qui est éteint. On ne sait jamais. C'est utile à mes volcans, et c'est utile à ma fleur, que je les possède.
102 Mais tu n'es pas utile aux étoiles...

103 Le businessman ouvrit la bouche mais ne trouva rien à répondre, et le petit prince s'en fut.

104 « Les grandes personnes sont décidément tout à fait extraordinaires », se disait-il simplement en lui-même durant le voyage.

"That's funny," thought the little prince. "It's rather poetic. But it's of no great consequence."

The little prince had, on matters of consequence, ideas which were very different from the ideas of the grown-ups.

"I myself," he continued, "own a flower that I water every day. I own three volcanoes that I sweep out every week. Because I also sweep out the one that is extinct. You never know. It's good for my volcanoes, and it's good for my flower, that I own them. But you're of no use to the stars..."

The businessman opened his mouth, but found nothing to say in response, and the little prince went away.

"The grown-ups are certainly altogether extraordinary," he said to himself plainly during the journey.

CHAPITRE XIV

1 La cinquième planète était très curieuse. C'était la plus petite de toutes. Il y avait là juste assez de place pour loger un réverbère et un allumeur de réverbères.

4 Le petit prince ne parvenait pas à s'expliquer à quoi pouvaient servir, quelque part dans le ciel, sur une planète sans maison, ni population, un réverbère et un allumeur de réverbères. Cependant il se dit en lui-même :

6 « Peut-être bien que cet homme est absurde. Cependant il est moins absurde que le roi, que le vaniteux, que le businessman et que le buveur.

8 Au moins son travail a-t-il un sens. Quand il allume son réverbère, c'est comme s'il faisait naître une étoile de plus, ou une fleur. Quand il éteint son réverbère, ça endort la fleur ou l'étoile.

11 C'est une occupation très jolie. C'est véritablement utile puisque c'est joli. »

CHAPTER XIV

The fifth planet was very strange. It was the smallest of them all. There was just enough room on it to accommodate a street lamp and a lamplighter. The little prince couldn't figure out the purpose of having, somewhere out in the sky, on a planet with neither houses nor any people, a street lamp and a lamplighter. He said to himself nevertheless:

"It may well be that this man is absurd. But, he's less absurd than the king, than the vain man, than the businessman, and than the drunkard. At least his work has a meaning. When he lights his lamp, it's as if he's bringing to life one more star, or a flower. When he puts out his lamp, it puts the flower, or the star, to sleep. It's a very nice occupation. It serves a real purpose, because it's pretty."

13	Lorsqu'il aborda la planète il salua respectueusement l'allumeur :
	When he arrived on the planet he respectfully saluted the lamplighter.
14	— Bonjour. Pourquoi viens-tu d'éteindre ton réverbère ?
	"Good morning. Why have you just put out your lamp?"
16	— C'est la consigne, répondit l'allumeur. Bonjour.
	"Those are the orders," replied the lamplighter. "Good morning."
18	— Qu'est-ce que la consigne ?
	"What are the orders?"
19	— C'est d'éteindre mon réverbère. Bonsoir.
	"That I put out my lamp. Good evening."
21	Et il le ralluma.
	And he lit it again.
22	— Mais pourquoi viens-tu de le rallumer ?
	"But why have you just lit it again?"
23	— C'est la consigne, répondit l'allumeur.
	"Those are the orders," replied the lamplighter.
24	— Je ne comprends pas, dit le petit prince.
	"I don't understand," said the little prince.
25	— Il n'y a rien à comprendre, dit l'allumeur. La consigne c'est la consigne. Bonjour.
	"There's nothing to understand," said the lamplighter. "Orders are orders. Good morning."
28	Et il éteignit son réverbère.
	And he put out his lamp.
29	Puis il s'épongea le front avec un mouchoir à carreaux rouges.
	Then he wiped his forehead with a handkerchief with red squares.
30	— Je fais là un métier terrible. C'était raisonnable autrefois. J'éteignais le matin et j'allumais le soir. J'avais le reste du jour pour me reposer, et le reste de la nuit pour dormir...
	"I have a terrible profession here. Before it used to be reasonable. I'd put it out in the morning, and in the evening I'd light it. I had the rest of the day to rest, and the rest of the night to sleep..."
34	— Et, depuis cette époque, la consigne a changé ?
	"And since then, have the orders changed?"
35 36	— La consigne n'a pas changé, dit l'allumeur. C'est bien là le drame ! La planète d'année en année a tourné de plus en plus vite, et la consigne n'a pas changé !
	"The orders haven't changed," said the lamplighter. "That's the tragedy! Every year the planet has turned faster and faster, and the orders haven't changed!"
38	— Alors ? dit le petit prince.
	"So what?" said the little prince.
39	— Alors maintenant qu'elle fait un tour par minute, je n'ai plus un seconde de repos. J'allume et j'éteins une fois par minute !
	"So now that it spins round once every minute, I no longer have a seconds's rest. I light it and put it out once every minute!"
41	— Ça c'est drôle ! Les jours chez toi durent une minute !
	"That's funny! Where you live, a day only lasts a minute!"

43	— Ce n'est pas drôle du tout, dit l'allumeur. Ça fait déjà un mois que nous parlons ensemble.	"It's not funny at all!" said the lamplighter. "We've already been speaking for a month."
45	— Un mois?	"A month?"
46	— Oui. Trente minutes. Trente jours! Bonsoir.	"Yes. Thirty minutes. Thirty days. Good evening."
50	Et il ralluma son réverbère.	And he lit his lamp again.
51	Le petit prince le regarda et il aima cet allumeur qui était tellement fidèle à sa consigne. Il se souvint des couchers de soleil que lui-même allait autrefois chercher, en tirant sa chaise. Il voulut aider son ami:	The little prince watched him and felt he loved this lamplighter who was so faithful to his orders. He remembered the sunsets which he himself went to seek in the past, by moving his chair. He wanted to help his friend.
54	— Tu sais... je connais un moyen de te reposer quand tu voudras...	"You know... I know a way that you can rest whenever you want..."
55	— Je veux toujours, dit l'allumeur.	"I always want to," said the lamplighter.
56	Car on peut être, à la fois, fidèle et paresseux.	For it is possible to be both faithful and lazy at the same time.
57	Le petit prince poursuivit:	The little prince went on:
58	— Ta planète est tellement petite que tu en fais le tour en trois enjambées. Tu n'as qu'à marcher assez lentement pour rester toujours au soleil.	"Your planet is so small that you can go right round it in three strides. You only have to walk along rather slowly to always stay in the sun.
60	Quand tu voudras te reposer tu marcheras... et le jour durera aussi longtemps que tu voudras.	When you want to rest, you can walk— and the day will last however long you want."
61	— Ça ne m'avance pas à grand chose, dit l'allumeur.	"That doesn't help me much," said the lamplighter.
62	Ce que j'aime dans la vie, c'est dormir.	"What I really love in life is to sleep."
63	— Ce n'est pas de chance, dit le petit prince.	"That's bad luck," said the little prince.
64	— Ce n'est pas de chance, dit l'allumeur. Bonjour.	"That's bad luck," said the lamplighter. "Good morning."
66	Et il éteignit son réverbère.	And he put out his lamp.
67	« Celui-là, se dit le petit prince, tandis qu'il poursuivait plus loin son voyage, celui-là serait méprisé par tous les autres, par le roi, par le vaniteux, par le buveur, par le businessman. Cependant c'est le seul qui ne me paraisse pas ridicule. C'est, peut-être, parce qu'il s'occupe d'autre chose que de soi-même. »	"That man," the little prince said to himself, as he continued further on his journey, "that man would be looked down on by all the others: by the king, by the vain man, by the drunkard, and by the businessman. Yet he's the only one that doesn't seem ridiculous to me. It's perhaps because he cares for something other than himself."

70   Il eut un soupir de regret et se dit encore:

He breathed a sigh of regret, and continued to himself:

71   « Celui-là est le seul dont j'eusse pu faire mon ami. Mais sa planète est vraiment trop petite. Il n'y a pas de place pour deux... »

"That man is the only one with who I could have made friends. But his planet is really very small. There's no room on it for two people..."

74   Ce que le petit prince n'osait pas s'avouer, c'est qu'il regrettait cette planète bénie à cause, surtout, des mille quatre cent quarante couchers de soleil par vingt-quatre heures!

What the little prince didn't dare admit to himself was that he missed this blessed planet, most of all, because of the 1440 sunsets every twenty-four hours!

CHAPITRE XV	CHAPTER XV

1 La sixième planète était une planète dix fois plus vaste. Elle était habitée par un vieux monsieur qui écrivait d'énormes livres.

The sixth planet was ten times bigger. It was inhabited by an old man who wrote enormous books.

3 — Tiens! voilà un explorateur! s'écria-t-il, quand il aperçut le petit prince.

"Oh, look! Here comes an explorer!" he cried out when he caught sight of the little prince.

4 Le petit prince s'assit sur la table et souffla un peu. Il avait déjà tant voyagé!

The little prince sat down on the table and panted a little. He had already traveled so much!

6 — D'où viens-tu? lui dit le vieux monsieur.

"Where do you come from?" the old man said to him.

7 — Quel est ce gros livre? dit le petit prince. Que faites-vous ici?

"What is that big book?" said the little prince. "What do you do here?"

9 — Je suis géographe, dit le vieux monsieur.

"I am a geographer," said the old man.

10 — Qu'est-ce qu'un géographe?

"What's a geographer?"

11 — C'est un savant qui connaît où se trouvent les mers, les fleuves, les villes, les montagnes et les déserts.

"He is a scholar who knows where the seas, the rivers, the towns, the mountains, and the deserts are found."

12 — Ça c'est bien intéressant, dit le petit prince.
13 Ça c'est enfin un véritable métier!

"That's very interesting," said the little prince. "That really is, at last, a real profession!"

14	Et il jeta un coup d'œil autour de lui sur la planète du géographe. Il n'avait jamais vu encore une planète aussi majestueuse.	And he glanced around at the planet of the geographer. He had never seen such a majestic planet before.
16	— Elle est bien belle, votre planète. Est-ce qu'il y a des océans?	"It's really beautiful, your planet." "Are there oceans?"
18	— Je ne puis pas le savoir, dit le géographe.	"I have no way of knowing," said the geographer.
19	— Ah! (Le petit prince était déçu.) Et des montagnes?	"Oh." (The little prince was disappointed.) "And mountains?"
22	— Je ne puis pas le savoir, dit le géographe.	"I have no way of knowing," said the geographer.
23	— Et des villes et des fleuves et des déserts?	"And towns, and rivers, and deserts?"
24	— Je ne puis pas le savoir non plus, dit le géographe.	"I have no way of knowing that, either," said the geographer.
25	— Mais vous êtes géographe!	"But you're a geographer!"
26	— C'est exact, dit le géographe, mais je ne suis pas explorateur. Je manque absolument d'explorateurs.	"That's true," the geographer said, "but I am not an explorer. I have not a single explorer.
28	Ce n'est pas le géographe qui va faire le compte des villes, des fleuves, des montagnes, des mers, des océans et des déserts. La géographe est trop importante pour flâner. Il ne quitte pas son bureau.	It is not for the geographer to count the towns, the rivers, the mountains, the seas, the oceans, and the deserts. The geographer is too important to go strolling about. He doesn't leave his desk.
31	Mais il y reçoit les explorateurs. Il les interroge, et il prend en note leurs souvenirs. Et si les souvenirs de l'un d'entre eux lui paraissent intéressants, le géographe fait une enquête sur la moralité de l'explorateur.	But he receives the explorers. He asks them questions, and he writes down their recollections. And if the recollections of one of them appear interesting to him, the geographer does an inquiry into that explorer's moral character."
34	— Pourquoi ça?	"Why's that?"
35	— Parce qu'un explorateur qui mentirait entraînerait des catastrophes dans les livres de géographie. Et aussi un explorateur qui boirait trop.	"Because an explorer who told lies would bring about catastrophe in geography books. So would an explorer who drank too much."
37	— Pourquoi ça? fit le petit prince.	"Why's that?" said the little prince.
38	— Parce que les ivrognes voient double. Alors le géographe noterait deux montagnes, là où il n'y en a qu'une seule.	"Because drunkards see double. So the geographer would record two mountains in a place where there was only one."
40	— Je connais quelqu'un, dit le petit prince, qui serait mauvais explorateur.	"I know someone," said the little prince, "who would make a bad explorer."

41 — C'est possible. Donc, quand la moralité de l'explorateur paraît bonne, on fait une enquête sur sa découverte.

"That's possible. So, when the moral character of the explorer appears to be in order, an inquiry is done into his discovery."

43 — On va voir?

"You go to see it?"

44 — Non. C'est trop compliqué. Mais on exige de l'explorateur qu'il fournisse des preuves. S'il s'agit par exemple de la découverte d'une grosse montagne, on exige qu'il en rapporte de grosses pierres.

"No. That's too complicated. But one requires of the explorer that he provide proof. If for example, the discovery in question was of a large mountain, one would require that he bring back large stones from it."

48 Le géographe soudain s'émut.

The geographer suddenly became excited.

49 — Mais toi, tu viens de loin! Tu es explorateur! Tu vas me décrire ta planète!

"But you—you come from far away! You are an explorer! You must describe your planet to me!"

52 Et le géographe, ayant ouvert son registre, tailla son crayon. On note d'abord au crayon les récits des explorateurs. On attend, pour noter à l'encre, que l'explorateur ait fourni des preuves.

And the geographer, having opened his register, sharpened his pencil. The accounts of explorers are first recorded in pencil. One waits until the explorer has provided proof before recording them in ink.

55 — Alors? interrogea le géographe.

"Well?" asked the geographer.

56 — Oh! chez moi, dit le petit prince, ce n'est pas très intéressant, c'est tout petit. J'ai trois volcans. Deux volcans en activité, et un volcan éteint. Mais on ne sait jamais.

"Oh, where I live," said the little prince, "it's not very interesting, everything is very small. I have three volcanoes. Two active volcanoes, and one extinct one. But you never know."

60 — On ne sait jamais, dit le géographe.

"One never knows," said the geographer.

61 — J'ai aussi une fleur.

"I also have a flower."

62 — Nous ne notons pas les fleurs, dit le géographe.

"We do not record flowers," said the geographer.

63 — Pourquoi ça! c'est le plus joli!

"Why's that? That's the prettiest thing!"

64 — Parce que les fleurs sont éphémères.

"Because flowers are ephemeral."

65 — Qu'est-ce que signifie: « éphémère »?

"What does that mean — 'ephemeral'?"

66 — Les géographies, dit le géographe, sont les livres les plus sérieux de tous les livres. Elles ne se démodent jamais. Il est très rare qu'une montagne change de place. Il est très rare qu'un océan se vide de son eau.
70 Nous écrivons des choses éternelles.

"Geography books," said the geographer, "of all books, are of the greatest consequence. They never become out-dated. It is very rare that a mountain changes position. It is very rare that an ocean loses its water. We write about eternal things."

71	— Mais les volcans éteints peuvent se réveiller, interrompit le petit prince. Qu'est-ce que signifie « éphémère » ?	"But extinct volcanoes can wake up," interrupted the little prince. "What does 'ephemeral' mean?"
73	— Que les volcans soient éteints ou soient éveillés, ça revient au même pour nous autres, dit le géographe. Ce qui compte pour nous, c'est la montagne. Elle ne change pas.	"Whether volcanoes are extinct or active, it's all the same to us," said the geographer. "The thing that matters to us is the mountain. It does not change."
76	— Mais qu'est-ce que signifie « éphémère » ? répéta le petit prince qui, de sa vie, n'avait renoncé à une question, une fois qu'il l'avait posée.	"But what does 'ephemeral' mean?" repeated the little prince, who had never in his life let go of a question, once he had asked it.
77	— Ça signifie « qui est menacé de disparition prochaine ».	"It means, 'which is at risk of imminent disappearance.'"
78	— Ma fleur est menacée de disparition prochaine ?	"Is my flower at risk of imminent disappearance?"
79	— Bien sûr.	"Of course."
80	« Ma fleur est éphémère, se dit le petit prince, et elle n'a que quatre épines pour se défendre contre le monde ! Et je l'ai laissée toute seule chez moi ! »	"My flower is ephemeral," the little prince said to himself, "and she has only four thorns to defend herself against the world. And I've left her all alone back home!"
82	Ce fut là son premier mouvement de regret. Mais il reprit courage :	That was his first stir of regret. But he took heart once again:
84	— Que me conseillez-vous d'aller visiter ? demanda-t-il.	"What place would you advise me to visit?" he asked.
85	— La planète Terre, lui répondit le géographe. Elle a une bonne réputation...	"The planet Earth," replied the geographer. "It has a good reputation..."
87	Et le petit prince s'en fut, songeant à sa fleur.	And the little prince went away, thinking of his flower.

Chapitre XVI

1 La septième planète fut donc la Terre.

So the seventh planet was the Earth.

2 La Terre n'est pas une planète quelconque! On y compte cent onze rois (en n'oubliant pas, bien sûr, les rois nègres), sept mille géographes, neuf cent mille businessmen, sept millions et demi d'ivrognes, trois cent onze millions de vaniteux, c'est-à-dire environ deux milliards de grandes personnes.

The Earth isn't just any planet! It has one hundred and eleven kings (not forgetting, of course, the Negro kings amongst them), seven thousand geographers, nine hundred thousand businessmen, seven and a half million drunkards, three hundred and eleven million vain men, that's to say, about two billion grown-ups.

4 Pour vous donner une idée des dimensions de la Terre je vous dirai qu'avant l'invention de l'électricité on y devait entretenir, sur l'ensemble des six continents, une véritable armée de quatre cent soixante-deux mille cinq cent onze allumeurs de réverbères.

To give you an idea of the size of the Earth, I'll tell you that before the invention of electricity it was necessary to maintain, over the span of the six continents, a veritable army of four hundred and sixty two thousand five hundred and eleven streetlamp lighters.

5 Vu d'un peu loin ça faisait un effet splendide. Les mouvements de cette armée étaient réglés comme ceux d'un ballet d'opéra. D'abord venait le tour des allumeurs de réverbères de Nouvelle-Zélande et d'Australie.

Seen from a distance it made a wonderful spectacle. The movements of this army were regulated like those of an opera ballet. First came the turn of the lamplighters of New Zealand and Australia.

8 Puis ceux-ci, ayant allumé leurs lampions, s'en allaient dormir. Alors entraient à leur tour dans la danse les allumeurs de réverbères de Chine et de Sibérie.

Having lit their lanterns, they would go off to bed. Then came the turn of the lamplighters of China and Siberia to enter into the dance.

10 Puis eux aussi s'escamotaient dans les coulisses.

Then they too would disappear into the wings.

11 Alors venait le tour des allumeurs de réverbères de Russie et des Indes. Puis de ceux d'Afrique et d'Europe.

Then came the turn of the lamplighters of Russia and the Indies. Then those of Africa and Europe.

13 Puis de ceux d'Amérique de Sud. Puis de ceux d'Amérique du Nord. Et jamais ils ne se trompaient dans leur ordre d'entrée en scène. C'était grandiose.

Then those of South America. Then those of North America. And never would they make a mistake in their order of entry on stage. It was magnificent.

17 Seuls, l'allumeur de l'unique réverbère du pôle Nord, et son confrère de l'unique réverbère du pôle Sud, menaient des vies d'oisiveté et de nonchalance: Ils travaillaient deux fois par an.

Only the lamp lighter of the single lamp of the North pole, and his colleague at the single lamp of the South pole led lives of leisure: they worked twice a year.

CHAPITRE XVII

1 Quand on veut faire de l'esprit, il arrive que l'on mente un peu. Je n'ai pas été très honnête en vous parlant des allumeurs de réverbères. Je risque de donner une fausse idée de notre planète à ceux qui ne la connaissent pas. Les hommes occupent très peu de place sur la Terre.

5 Si les deux milliards d'habitants qui peuplent la Terre se tenaient debout et un peu serrés, comme pour un meeting, ils logeraient aisément sur une place publique de vingt milles de long sur vingt milles de large.

6 On pourrait entasser l'humanité sur le moindre petit îlot du Pacifique.

7 Les grandes personnes, bien sûr, ne vous croiront pas. Elles s'imaginent tenir beaucoup de place.

9 Elles se voient importantes comme des baobabs.

10 Vous leur conseillerez donc de faire le calcul.

11 Elles adorent les chiffres: ça leur plaira. Mais ne perdez pas votre temps à ce pensum. C'est inutile.

14 Vous avez confiance en moi.

15 Le petit prince, une fois sur Terre, fut donc bien surpris de ne voir personne. Il avait déjà peur de s'être trompé de planète, quand un anneau couleur de lune remua dans le sable.

17 — Bonne nuit, fit le petit prince à tout hasard.

18 — Bonne nuit fit le serpent.

19 — Sur quelle planète suis-je tombé? demanda le petit prince.

20 — Sur la Terre, en Afrique, répondit le serpent.

21 — Ah!... Il n'y a donc personne sur la Terre?

22 — Ici c'est le désert. Il n'y a personne dans les déserts.

24 La Terre est grande, dit le serpent.

25 Le petit prince s'assit sur une pierre et leva les yeux vers le ciel:

26 — Je me demande dit-il, si les étoiles sont éclairées afin que chacun puisse un jour retrouver la sienne.

CHAPTER XVII

When one wants to be witty, sometimes one bends the truth a little. I haven't been very honest in telling you about the lamplighters. I run the risk of giving a false idea of our planet to those who aren't familiar with it. Men take up very little space on the Earth. If the two billion people who inhabit the Earth were to stand and squeeze together a little, like for a meeting, they would easily fit on one public square twenty miles long and twenty miles wide. All humanity could be piled up on the smallest Pacific islet.

The grown-ups, of course, won't believe you. They picture themselves as taking up a lot of space. They think themselves as important as the baobabs. Therefore you will advise them to do the calculation. They adore numbers; that will please them. But don't waste your time on this chore. It's pointless. You trust me.

Once on Earth, the little prince was thus very surprised not to see anyone. He was already worried that he'd got the wrong planet, when a moon-coloured coil stirred in the sand.

"Good evening," said the little prince, just in case.

"Good evening," said the snake.

"On what planet have I come down on?" asked the little prince.

"Onto Earth, in Africa," the snake answered.

"Oh!... So there's no one on Earth?"

"This is the desert. There is no one in the deserts. The Earth is big," said the snake.

The little prince sat down on a stone, and raised his eyes toward the sky.

"I wonder," he said, "if the stars are lit so that each of us can one day find his own again.

27	Regarde ma planète. Elle est juste au-dessus de nous... Mais comme elle est loin!
	Look at my planet. It's right there above us... But it's so far away!"
29	— Elle est belle, dit le serpent. Que viens-tu faire ici?
	"It is beautiful," said the snake. "What have you come to do here?"
31	— J'ai des difficultés avec une fleur, dit le petit prince.
	"I've have problems with a flower," said the little prince.
32	— Ah! fit le serpent.
	"Ah!" said the snake.
33	Et ils se turent.
	And they fell silent.
34	— Où sont les hommes? reprit enfin le petit prince. On est un peu seul dans le désert...
	"Where are the men?" continued the little prince at last. "It's a bit lonely in the desert..."
36	— On est seul aussi chez les hommes, dit le serpent.
	"It is also lonely among men," the snake said.
37	Le petit prince le regarda longtemps:
	The little prince gazed at him for a long while.
38	— Tu es une drôle de bête, lui dit-il enfin, mince comme un doigt...
	"You're a funny creature," he said finally, "as thin as a finger..."
39	— Mais je suis plus puissant que le doigt d'un roi, dit le serpent.
	"But I am more powerful than the finger of a king," said the snake.
40	Le petit prince eut un sourire:
	The little prince smiled.
41	— Tu n'es pas bien puissant... tu n'as même pas de pattes... tu ne peux même pas voyager...
	"You aren't very powerful... you haven't even got any legs... you can't even travel..."
42	— Je puis t'emporter plus loin qu'un navire, dit le serpent.
	"I can carry you farther than a ship," said the snake.
43	Il s'enroula autour de la cheville du petit prince, comme un bracelet d'or:
	He wrapped himself around the little prince's ankle, like a golden bracelet.
44	— Celui que je touche, je le rends à la terre dont il est sorti, dit-il encore. Mais tu es pur et tu viens d'une étoile...
	"Whoever I touch, I return them to the earth from which they came," he added. "But you are pure, and you come from a star..."
46	Le petit prince ne répondit rien.
	The little prince made no reply.
47	— Tu me fais pitié, toi si faible, sur cette Terre de granit. Je puis t'aider un jour si tu regrettes trop ta planète. Je puis...
	"I feel sorry for you, so weak, on this Earth made of granite. I can help you if someday you miss your planet too much. I can..."
50	— Oh! J'ai très bien compris, fit le petit prince, mais pourquoi parles-tu toujours par énigmes?
	"Oh! I understood very well," said the little prince, "but why do you always speak in riddles?"

| 51 | — Je les résous toutes, dit le serpent. | "I solve them all," said the snake. |
| 52 | Et ils se turent. | And they fell silent. |

CHAPITRE XVIII

1 Le petit prince traversa le désert et ne rencontra qu'une fleur. Une fleur à trois pétales, une fleur de rien du tout...

The little prince crossed the desert and only came across a single flower. A flower with three petals, a simple flower of little interest.

3 — Bonjour, dit le petit prince.

"Hello," said the little prince.

4 — Bonjour, dit la fleur.

"Hello," said the flower.

5 — Où sont les hommes? demanda poliment le petit prince.

"Where are the men?" the little prince asked politely.

6 La fleur, un jour, avait vu passer une caravane:

The flower had once seen a caravan passing.

7 — Les hommes? Il en existe, je crois, six ou sept.
9 Je les ai aperçus il y a des années. Mais on ne sait jamais où les trouver. Le vent les promène. Ils manquent de racines, ça les gêne beaucoup.

"Men? I think there are six or seven of them. I saw them years ago. But you never know where to find them. They are blown here and there by the wind. They lack roots, it causes them a lot of bother."

13 — Adieu, fit le petit prince.

"Goodbye," said the little prince.

14 — Adieu, dit la fleur.

"Goodbye," said the flower.

CHAPITRE XIX

1 Le petit prince fit l'ascension d'une haute montagne.
2 Les seules montagnes qu'il eût jamais connues étaient les trois volcans qui lui arrivaient au genou.
3 Et il se servait du volcan éteint comme d'un tabouret.
4 « D'une montagne haute comme celle-ci, se dit-il donc, j'apercevrai d'un coup toute la planète et tous les hommes... » Mais il n'aperçut rien que des aiguilles de roc bien aiguisées.

6 — Bonjour, dit-il à tout hasard.

7 — Bonjour... Bonjour... Bonjour... répondit l'écho.

8 — Qui êtes-vous? dit le petit prince.

9 — Qui êtes-vous... qui êtes-vous... qui êtes-vous... répondit l'écho.

10 — Soyez mes amis, je suis seul, dit-il.

11 — Je suis seul... je suis seul... je suis seul... répondit l'écho.

12 « Quelle drôle de planète! pensa-t-il alors. Elle est toute sèche, et toute pointue et toute salée. Et les hommes manquent d'imagination. Ils répètent ce qu'on leur dit... Chez moi j'avais une fleur: elle parlait toujours la première... »

CHAPTER XIX

The little prince climbed a high mountain. The only mountains he'd ever known were the three volcanoes that came up to his knees. And he used the extinct volcano as a footstool. "From a mountain as high as this one," he said to himself, "I'll be able to see the entire planet all at once, and all the people..." But he saw nothing but sharp needles of rock.

"Good morning," he said, just in case.

"Good morning... Good morning... Good morning...," answered the echo.

"Who are you?" said the little prince.

"Who are you... who are you... who are you..." answered the echo.

"Be my friends. I'm all alone," he said.

"I'm all alone... all alone... all alone...," answered the echo.

"What a funny planet!" he thought. "It's all very dry, and very jagged, and very salty. And the men lack imagination. They repeat whatever you say to them... On my planet I had a flower: she was always the first to speak..."

Chapitre XX

1 Mais il arriva que le petit prince, ayant longtemps marché à travers les sables, les rocs et les neiges, découvrit enfin une route. Et les routes vont toutes chez les hommes.

3 — Bonjour, dit-il.

4 C'était un jardin fleuri de roses.

5 — Bonjour, dirent les roses.

6 Le petit prince les regarda. Elles ressemblaient toutes à sa fleur.

8 — Qui êtes-vous? leur demanda-t-il, stupéfait.

9 — Nous sommes des roses, dirent les roses.

10 — Ah! fit le petit prince...

11 Et il se sentit très malheureux. Sa fleur lui avait raconté qu'elle était seule de son espèce dans l'univers. Et voici qu'il en était cinq mille, toutes semblables, dans un seul jardin!

Chapter XX

But it happened that the little prince, having walked for a long time through the sands, the rocks, and the snow, at last discovered a road. And all roads lead to the dwellings of men.

"Good morning," he said.

It was a garden covered in roses.

"Good morning," said the roses.

The little prince looked at them. They all looked just like his flower.

"Who are you?" he asked them, astounded.

"We are roses," the roses said.

"Oh!" said the little prince...

And he then felt very unhappy. His flower had told him that she was the only one of her kind in the universe. And here were five thousand of them, all alike, in a single garden!

14 « Elle serait bien vexée, se dit-il, si elle voyait ça... elle tousserait énormément et ferait semblant de mourir pour échapper au ridicule. Et je serais bien obligé de faire semblant de la soigner, car, sinon, pour m'humilier moi aussi, elle se laisserait vraiment mourir... »

16 Puis il se dit encore: « Je me croyais riche d'une fleur unique, et je ne possède qu'une rose ordinaire. Ça et mes trois volcans qui m'arrivent au genou, et dont l'un, peut-être, est éteint pour toujours, ça ne fait pas de moi un bien grand prince... » Et, couché dans l'herbe, il pleura.

"She'd be very upset," he said to himself, "if she saw this... she'd cough tremendously and pretend to die to avoid the ridicule. And I would have to pretend to nurse her, because otherwise, to humble me too, she really would allow herself to die..."

He continued to himself: "I considered myself rich, with a flower that was one of a kind, and all I have is a common rose. That, and my three volcanoes that come up to my knees, of which one is perhaps forever extinct; that doesn't make me a very great prince..." And lying in the grass, he cried.

Chapitre XXI

1 C'est alors qu'apparut le renard:

2 — Bonjour, dit le renard.

3 — Bonjour, répondit poliment le petit prince, qui se retourna mais ne vit rien.

4 — Je suis là, dit la voix, sous le pommier...

5 — Qui es-tu? dit le petit prince. Tu es bien joli...

7 — Je suis un renard, dit le renard.

8 — Viens jouer avec moi, lui proposa le petit prince. Je suis tellement triste...

10 — Je ne puis pas jouer avec toi, dit le renard. Je ne suis pas apprivoisé.

12 — Ah! pardon, fit le petit prince.

13 Mais après réflexion, il ajouta :

14 — Qu'est-ce que signifie « apprivoiser »?

Chapter XXI

It was then that the fox appeared:

"Good morning," said the fox.

"Good morning," responded the little prince politely, who turned around, but saw nothing.

"I'm right here," the voice said, "under the apple tree..."

"Who are you?" asked the little prince. "You're very pretty."

"I'm a fox," the fox said.

"Come and play with me," proposed the little prince. "I'm so unhappy..."

"I can't play with you," said the fox. "I am not tamed."

"Oh! I'm sorry," said the little prince.

But after some thought, he added:

"What does it mean—'to tame'?"

15	— Tu n'es pas d'ici, dit le renard, que cherches-tu?	"You aren't from here," said the fox. "What are you looking for?"
16	— Je cherche les hommes, dit le petit prince. Qu'est-ce que signifie « apprivoiser »?	"I'm looking for the men," said the little prince. "What does 'to tame' mean?"
18	— Les hommes, dit le renard, ils ont des fusils et ils chassent. C'est bien gênant! Ils élèvent aussi des poules.	"Men," said the fox, "they have rifles, and they hunt. It's very bothersome. They also raise chickens.
21	C'est leur seul intérêt. Tu cherches des poules?	It's their sole interest. Are you looking for chickens?"
23	— Non, dit le petit prince. Je cherche des amis. Qu'est-ce que signifie « apprivoiser »?	"No," said the little prince. "I am looking for friends. What does 'to tame' mean?"
26	— C'est une chose trop oubliée, dit le renard. Ça signifie « créer des liens... »	"It's something that's too often forgotten," said the fox. "It means 'to establish bonds.'"
28	— Créer des liens?	"'To establish bonds?'"
29	— Bien sûr, dit le renard. Tu n'es encore pour moi qu'un petit garçon tout semblable à cent mille petits garçons. Et je n'ai pas besoin de toi.	"Of course," said the fox. "To me, you're still only a little boy, just like a hundred thousand other little boys. And I don't need you.
32	Et tu n'as pas besoin de moi non plus. Je ne suis pour toi qu'un renard semblable à cent mille renards.	And you don't need me either. To you, I'm only a fox, just like a hundred thousand other foxes.
34	Mais, si tu m'apprivoises,nous aurons besoin l'un de l'autre. Tu seras pour moi unique au monde. Je serai pour toi unique au monde...	But if you tame me, we'll need one another. To me, you'll be unique in the entire world. To you, I'll be unique in the entire world... "

37	— Je commence à comprendre, dit le petit prince.	"I'm starting to understand," said the little prince.
38	Il y a une fleur... je crois qu'elle m'a apprivoisé...	"There's a flower... I think she's tamed me..."
39	— C'est possible, dit le renard. On voit sur la Terre toutes sortes de choses...	"It's possible," said the fox. "On Earth you see all kinds of things."
41	— Oh! ce n'est pas sur la Terre, dit le petit prince.	"Oh, but she's not on Earth!" said the little prince.
42	Le renard parut très intrigué :	The fox seemed very intrigued:
43	— Sur une autre planète ?	"On another planet?"
44	— Oui.	"Yes."
45	— Il y a des chasseurs sur cette planète-là ?	"Are there hunters on that planet?"
46	— Non.	"No."
47	— Ça, c'est intéressant! Et des poules ?	"That really is interesting! And chickens?"
49	— Non.	"No."
50	— Rien n'est parfait, soupira le renard.	"Nothing is perfect," sighed the fox.
51	Mais le renard revint à son idée :	But the fox came back to his idea.
52	— Ma vie est monotone. Je chasse les poules, les hommes me chassent. Toutes les poules se ressemblent, et tous les hommes se ressemblent. Je m'ennuie donc un peu. Mais si tu m'apprivoises, ma vie sera comme ensoleillée. Je connaîtrai un bruit de pas qui sera différent de tous les autres.	"My life is monotonous. I hunt chickens, men hunt me. All the chickens look alike, and all the men look alike. So I get a bit bored. But if you tame me, it would bring some sunlight into my life. I'll come to know a sound of footsteps that will be different from all the others.
58	Les autres pas me font rentrer sous terre. Le tien m'appellera hors du terrier, comme une musique.	Other footsteps make me go back underground. Yours will call me out of my burrow like music.
60	Et puis regarde! Tu vois, là-bas, les champs de blé? Je ne mange pas de pain. Le blé pour moi est inutile.	And then look! You see the wheat fields down there? I don't eat bread. Wheat is of no use to me.
64	Les champs de blé ne me rappellent rien. Et ça, c'est triste! Mais tu as des cheveux couleur d'or.	The wheat fields don't remind me of anything. And that's sad. But you have hair the colour of gold.
66	Alors ce sera merveilleux quand tu m'auras apprivoisé! Le blé, qui est doré, me fera souvenir de toi.	So it'll be wonderful when you've tamed me! The wheat, which is golden, will remind me of you.
68	Et j'aimerai le bruit du vent dans le blé...	And I'll love the sound of the wind in the wheat..."
69	Le renard se tut et regarda longtemps le petit prince :	The fox fell silent and gazed at the little prince for a long while.
70	— S'il te plaît... apprivoise-moi! dit-il.	"Please... tame me!" he said.

71	— Je veux bien, répondit le petit prince, mais je n'ai pas beaucoup de temps. J'ai des amis à découvrir et beaucoup de choses à connaître.	"I really want to," the little prince replied, "but I don't have a lot of time. I have friends to discover, and many things to understand."
73	— On ne connaît que les choses que l'on apprivoise, dit le renard. Les hommes n'ont plus le temps de rien connaître. Ils achètent des choses toutes faites chez les marchands. Mais comme il n'existe point de marchands d'amis, les hommes n'ont plus d'amis.	"One only understands the things that one tames," said the fox. "Men no longer have the time to get to know anything. They buy things ready made in the shops. But as there aren't any shopkeepers that sell friends, men no longer have any friends.
77	Si tu veux un ami, apprivoise-moi!	If you want a friend, tame me!"
78	— Que faut-il faire? dit le petit prince.	"What should I do?" asked the little prince.
79	— Il faut être très patient, répondit le renard.	"You have to be very patient," replied the fox.
80	Tu t'assoiras d'abord un peu loin de moi, comme ça, dans l'herbe. Je te regarderai du coin de l'œil et tu ne diras rien. Le langage est source de malentendus. Mais, chaque jour, tu pourras t'asseoir un peu plus près...	"First you'll sit down a bit far away from me, like this, in the grass. I'll watch you out of the corner of my eye and you won't say anything. Words are a source of misunderstandings. But, every day, you'll be able to sit a little closer..."
84	Le lendemain revint le petit prince.	The next day the little prince came back.

85 — Il eût mieux valu revenir à la même heure, dit le renard. Si tu viens, par exemple, à quatre heures de l'après-midi, dès trois heures je commencerai d'être heureux. Plus l'heure avancera, plus je me sentirai heureux. À quatre heures, déjà, je m'agiterai et m'inquiéterai; je découvrirai le prix du bonheur! Mais si tu viens n'importe quand, je ne saurai jamais à quelle heure m'habiller le cœur... il faut des rites.

90 — Qu'est-ce qu'un rite? dit le petit prince.

91 — C'est aussi quelque chose de trop oublié, dit le renard. C'est ce qui fait qu'un jour est différent des autres jours, une heure, des autres heures.
93 Il y a un rite, par exemple, chez mes chasseurs.
94 Ils dansent le jeudi avec les filles du village. Alors le jeudi est jour merveilleux! Je vais me promener jusqu'à la vigne. Si les chasseurs dansaient n'importe quand, les jours se ressembleraient tous, et je n'aurais point de vacances.

98 Ainsi le petit prince apprivoisa le renard. Et quand l'heure du départ fut proche :

100 — Ah! dit le renard... Je pleurerai.

101 — C'est ta faute, dit le petit prince, je ne te souhaitais point de mal, mais tu as voulu que je t'apprivoise...

102 — Bien sûr, dit le renard.

103 — Mais tu vas pleurer! dit le petit prince.

104 — Bien sûr, dit le renard.

105 — Alors tu n'y gagnes rien!

106 — J'y gagne, dit le renard, à cause de la couleur du blé.

"It would've been better to come back at the same time of day," said the fox. "If you come, for example, at four o'clock in the afternoon, from three o'clock I'd start to feel happy. As time went on, I'd feel happier and happier. Already by four o'clock, I'd be jumping about and getting restless; I'd discover the price of happiness! But if you come at just any time, I'll never know at what time my heart should be ready to greet you... we must have rites..."

"What's a rite?" asked the little prince.

"They are also something too often forgotten," said the fox. "They are what make one day different from other days, one hour different from other hours. There's a rite, for example, among my hunters. On Thursdays they dance with the girls of the village. So Thursday is a wonderful day! I go walking as far as the vineyards. If the hunters danced just whenever, all the days would be alike, and I'd never have any holiday."

Thus the little prince tamed the fox. And when the time to leave drew near:

"Oh," said the fox, "I'll cry."

"It's your fault," said the little prince, "I never wished you any harm, but you wanted me to tame you..."

"Of course," said the fox.

"But you're going to cry!" said the little prince.

"Of course," said the fox.

"So you've gained nothing from this!"

"I have gained something," said the fox, "because of the colour of the wheat."

107	Puis il ajouta :	And then he added:

<table>
</table>

107   Puis il ajouta :

And then he added:

108   — Va revoir les roses. Tu comprendras que la tienne est unique au monde. Tu reviendras me dire adieu, et je te ferai cadeau d'un secret.

"Go and see the roses again. You'll understand that yours is unique in the entire world. Then you'll come back to say goodbye to me, and I'll give you a secret as a present."

111   Le petit prince s'en fut revoir les roses :

The little prince went away to see the roses again:

112   — Vous n'êtes pas du tout semblables à ma rose, vous n'êtes rien encore, leur dit-il. Personne ne vous a apprivoisées et vous n'avez apprivoisé personne. Vous êtes comme était mon renard. Ce n'était qu'un renard semblable à cent mille autres. Mais j'en ai fait mon ami, et il est maintenant unique au monde.

"You aren't like my rose at all, you are nothing yet," he told them. No one has tamed you, and you haven't tamed anyone. You're like my fox used to be. He was only a fox, just like a hundred thousand others. But I've made him my friend, and now he's unique in the entire world."

117   Et les roses étaient bien gênées.

And the roses were very embarrassed.

118   — Vous êtes belles, mais vous êtes vides, leur dit-il encore. On ne peut pas mourir pour vous.

"You are beautiful, but you are empty," he continued to them. "One could not die for you.

120   Bien sûr, ma rose à moi, un passant ordinaire croirait qu'elle vous ressemble. Mais à elle seule elle est plus importante que vous toutes, puisque c'est elle que j'ai arrosée. Puisque c'est elle que j'ai mise sous globe.

Of course, an ordinary passer-by would think that my rose looked just like you. But she alone is more important than all of you; because it's her that I watered. Because it's her that I put under the glass dome.

123   Puisque c'est elle que j'ai abritée par le paravent.

Because it's her that I sheltered with the screen.

124   Puisque c'est elle dont j'ai tué les chenilles (sauf les deux ou trois pour les papillons). Puisque c'est elle que j'ai écoutée se plaindre, ou se vanter, ou même quelquefois se taire. Puisque c'est ma rose.

Because it's her caterpillars that I killed (except two or three, to become butterflies). Because it's her that I listened to complain, or boast, or even sometimes when she said nothing. Because she's my rose."

127   Et il revint vers le renard :

And he went back to the fox:

128   — Adieu, dit-il...

"Goodbye... ," he said.

129   — Adieu, dit le renard. Voici mon secret. Il est très simple : on ne voit bien qu'avec le cœur.

"Goodbye," said the fox. "Here's my secret. It's very simple: one only sees clearly with the heart.

132   L'essentiel est invisible pour les yeux.

What is essential is invisible to the eye."

133   — L'essentiel est invisible pour les yeux, répéta le petit prince, afin de se souvenir.

"What is essential is invisible to the eye," repeated the little prince, so as to remember.

134   — C'est le temps que tu as perdu pour ta rose qui fait ta rose si importante.

"It is the time you have lost for your rose that makes your rose so important."

135   — C'est le temps que j'ai perdu pour ma rose... fit le petit prince, afin de se souvenir.

"It is the time I have lost for my rose..." said the little prince, so as to remember.

136   — Les hommes ont oublié cette vérité, dit le renard.

"The men have forgotten this truth," said the fox.

137 Mais tu ne dois pas l'oublier. Tu deviens responsable pour toujours de ce que tu as apprivoisé.

139 Tu es responsable de ta rose...

140 — Je suis responsable de ma rose... répéta le petit prince, afin de se souvenir.

"But you must not forget it. You become forever responsible for that which you have tamed. You are responsible for your rose..."

"I am responsible for my rose," repeated the little prince, so as to remember.

1	— Bonjour, dit le petit prince.	"Good morning," said the little prince.
2	— Bonjour, dit l'aiguilleur.	"Good morning," said the switchman.
3	— Que fais-tu ici? dit le petit prince.	"What are you doing here?" the little prince asked.
4	— Je trie les voyageurs, par paquets de mille, dit l'aiguilleur. J'expédie les trains qui les emportent, tantôt vers la droite, tantôt vers la gauche.	"I sort travelers, in bundles of a thousand," said the switchman. "I dispatch the trains that carry them, sometimes to the right, sometimes to the left."
6	Et un rapide illuminé, grondant comme le tonnerre, fit trembler la cabine d'aiguillage.	And a brilliantly lit express, rumbling like thunder, shook the switchman's cabin.
7	— Ils sont bien pressés, dit le petit prince. Que cherchent-ils?	"They really are in a hurry," said the little prince. "What are they looking for?"
9	— L'homme de la locomotive l'ignore lui-même, dit l'aiguilleur.	"Not even the locomotive engineer knows that," said the switchman.
10	Et gronda, en sens inverse, un second rapide illuminé.	A second brilliantly lit express thundered by in the opposite direction.
11	— Ils reviennent déjà? demanda le petit prince...	"Are they already coming back?" asked the little prince.
12	— Ce ne sont pas les mêmes, dit l'aiguilleur. C'est un échange.	"These aren't the same ones," said the switchman. "It's an exchange."
14	— Ils n'étaient pas contents, là où ils étaient?	"Weren't they happy, where they were?"
15	— On n'est jamais content là où l'on est, dit l'aiguilleur.	"No one is ever happy where they are," said the switchman.
16	Et gronda le tonnerre d'un troisième rapide illuminé.	And the thunder of a third lit express rumbled.
17	— Ils poursuivent les premiers voyageurs? demanda le petit prince.	"Are they pursuing the first travelers?" asked the little prince.
18	— Ils ne poursuivent rien du tout, dit l'aiguilleur. Ils dorment là-dedans, ou bien ils bâillent. Les enfants seuls écrasent leur nez contre les vitres.	"They aren't pursuing anything at all," said the switchman. "They're asleep in there, or if not, they're yawning. Only the children are squashing their noses against the windowpanes."
21	— Les enfants seuls savent ce qu'ils cherchent, fit le petit prince. Ils perdent du temps pour une poupée de chiffons, et elle devient très importante, et si on la leur enlève, ils pleurent...	"Only the children know what they're looking for," said the little prince. "They loose their time over a rag doll and it becomes very important to them; and if someone takes it away from them, they cry..."
23	— Ils ont de la chance, dit l'aiguilleur.	"They're lucky," said the switchman.

1 — Bonjour, dit le petit prince.

"Good morning," said the little prince.

2 — Bonjour, dit le marchand.

"Good morning," said the merchant.

3 C'était un marchand de pilules perfectionnées qui apaisent la soif. On en avale une par semaine et l'on n'éprouve plus le besoin de boire.

It was a seller of sophisticated pills that quench thirst. You take one a week, and you no longer feel the need to drink.

5 — Pourquoi vends-tu ça? dit le petit prince.

"Why do you sell that?" said the little prince.

6 — C'est une grosse économie de temps, dit le marchand. Les experts ont fait des calculs. On épargne cinquante-trois minutes par semaine.

"It's a great time saving," said the merchant. "Experts have done calculations. You save fifty-three minutes per week."

9 — Et que fait-on de ces cinquante-trois minutes?

"And what do I do with the fifty-three minutes?"

10 — On en fait ce que l'on veut...

"You can do anything you like with them..."

11 « Moi, se dit le petit prince, si j'avais cinquante-trois minutes à dépenser, je marcherais tout doucement vers une fontaine... »

"Myself," the little prince said to himself, "if I had fifty-three minutes to spend, I'd walk very slowly toward a spring..."

Chapitre XXIV

1 Nous en étions au huitième jour de ma panne dans le désert, et j'avais écouté l'histoire du marchand en buvant la dernière goutte de ma provision d'eau :

2 — Ah ! dis-je au petit prince, ils sont bien jolis, tes souvenirs, mais je n'ai pas encore réparé mon avion, je n'ai plus rien à boire, et je serais heureux, moi aussi, si je pouvais marcher tout doucement vers une fontaine !

3 — Mon ami le renard, me dit-il...

4 — Mon petit bonhomme, il ne s'agit plus du renard !

5 — Pourquoi ?

6 — Parce qu'on va mourir de soif...

7 Il ne comprit pas mon raisonnement, il me répondit :

8 — C'est bien d'avoir eu un ami, même si l'on va mourir. Moi, je suis bien content d'avoir eu un ami renard...

10 « Il ne mesure pas le danger, me dis-je. Il n'a jamais ni faim ni soif. Un peu de soleil lui suffit... »

13 Mais il me regarda et répondit à ma pensée :

14 — J'ai soif aussi... cherchons un puits...

15 J'eus un geste de lassitude : il est absurde de chercher un puits, au hasard, dans l'immensité du désert.

16 Cependant nous nous mîmes en marche.

17 Quand nous eûmes marché, des heures, en silence, la nuit tomba, et les étoiles commencèrent de s'éclairer. Je les apercevais comme en rêve, ayant un peu de fièvre, à cause de ma soif. Les mots du petit prince dansaient dans ma mémoire :

20 — Tu as donc soif, toi aussi ? lui demandai-je.

21 Mais il ne répondit pas à ma question. Il me dit simplement :

23 — L'eau peut aussi être bonne pour le cœur...

Chapter XXIV

We were at the eighth day of my breakdown in the desert, and I'd listened to the story of the merchant as I drank the last drop of my water supply.

"Ah," I said to the little prince, "these memories of yours are very nice; but I haven't repaired my plane yet, I have nothing left to drink, and I too, would be happy if I could walk very slowly towards a spring!"

"My friend the fox—" he said to me.

"My little fellow, this has nothing to do with the fox!"

"Why not?"

"Because we will die of thirst..."

He didn't follow my reasoning, and he answered:

"It's good to have had a friend, even if you're going to die. Myself, I'm glad to have had a fox as a friend..."

"He doesn't consider the danger," I said to myself. "He's never hungry or thirsty. A little sunshine is all he needs..."

But he looked at me and replied to my thought:

"I'm also thirsty... Let's look for a well..."

I made a gesture of weariness: it's absurd to look for a well, at random, in the immensity of the desert. Nevertheless we set off.

When we had walked for hours in silence, night fell, and the stars began to shine. I saw them as if in a dream, as I had a bit of fever, due to my thirst. The little prince's words danced in my memory:

"So you're also thirsty?" I asked him.

But he didn't reply to my question. He said simply:

"Water can also be good for the heart..."

24	Je ne compris pas sa réponse mais je me tus...	I didn't understand his answer, but I said nothing.
25	Je savais bien qu'il ne fallait pas l'interroger.	I knew well that I shouldn't press my questions.

26	Il était fatigué. Il s'assit. Je m'assis auprès de lui.	He was tired. He sat down. I sat down beside him.
29	Et, après un silence, il dit encore:	And, after a silence, he spoke again:

30 — Les étoiles sont belles, à cause d'une fleur que l'on ne voit pas...

"The stars are beautiful because of a flower that can't be seen... "

31 Je répondis « bien sûr » et je regardai, sans parler, les plis du sable sous la lune.

I replied "of course." And I looked, without saying anything, at the folds of sand in the moonlight.

32 — Le désert est beau, ajouta-t-il.

"The desert is beautiful," he added.

33	Et c'était vrai. J'ai toujours aimé le désert. On s'assoit sur une dune de sable. On ne voit rien.	And it was true. I have always loved the desert. You sit down on a sand dune. You see nothing.
37	On n'entend rien. Et cependant quelque chose rayonne en silence...	You hear nothing. And yet something radiates forth in silence...

39 — Ce qui embellit le désert, dit le petit prince, c'est qu'il cache un puits quelque part...

"What makes the desert beautiful," said the little prince, "is that somewhere it hides a well..."

40 Je fus surpris de comprendre soudain ce mystérieux rayonnement du sable. Lorsque j'étais petit garçon j'habitais une maison ancienne, et la légende racontait qu'un trésor y était enfoui. Bien sûr, jamais personne n'a su le découvrir, ni peut-être même ne l'a cherché.

I was surprised to suddenly understand this mysterious radiation of the sands. When I was a little boy I lived in an old house, and legend told that a treasure was buried there. Of course, no one had ever been able to find it, or perhaps had even looked for it.

43 Mais il enchantait toute cette maison. Ma maison cachait un secret au fond de son cœur...

But it cast an enchantment over that house. My house was hiding a secret in the depths of its heart...

45 — Oui, dis-je au petit prince, qu'il s'agisse de la maison, des étoiles ou du désert, ce qui fait leur beauté est invisible!

"Yes," I said to the little prince. "Whether it's the house, the stars, or the desert, that which gives them their beauty is invisible!"

46 — Je suis content, dit-il, que tu sois d'accord avec mon renard.

"I'm glad," he said, "that you agree with my fox."

47	Comme le petit prince s'endormait, je le pris dans mes bras, et me remis en route. J'étais ému.	As the little prince was falling asleep, I took him in my arms and set out walking again. I felt deeply moved.
49	Il me semblait porter un trésor fragile. Il me semblait même qu'il n'y eût rien de plus fragile sur la Terre.	It seemed that I was carrying a fragile treasure. It even seemed that there was nothing more fragile on Earth.
51	Je regardais, à la lumière de la lune, ce front pâle, ces yeux clos, ces mèches de cheveux qui tremblaient au vent, et je me disais: « Ce que je vois là n'est qu'une écorce. Le plus important est invisible... »	I looked in the moonlight at his pale forehead, his closed eyes, his locks of hair that trembled in the wind, and I said to myself: "What I see there is only a shell. That which is most important is invisible..."

54	Comme ses lèvres entr'ouvertes ébauchaient un de-mi-sourire je me dis encore: « Ce qui m'émeut si fort de ce petit prince endormi, c'est sa fidélité pour une fleur, c'est l'image d'une rose qui rayonne en lui comme la flamme d'une lampe, même quand il dort... »	As his slightly parted lips traced a half-smile, I continued: "What I find so deeply moving about this little sleeping prince is his loyaty to a flow-er; it's the image of a rose that shines in him like the flame of a lamp, even when he's sleeping..."
55	Et je le devinai plus fragile encore. Il faut bien protéger les lampes: un coup de vent peut les éteindre...	And I perceived him as even more fragile. One has to protect lamps well: a gust of wind can put them out...
57	Et, marchant ainsi, je découvris le puits au lever du jour.	And, walking like this, I found the well at daybreak.

Chapitre XXV

1 — Les hommes, dit le petit prince, ils s'enfournent dans les rapides, mais ils ne savent plus ce qu'ils cherchent. Alors ils s'agitent et tournent en rond...

3 Et il ajouta:

4 — Ce n'est pas la peine...

5 Le puits que nous avions atteint ne ressemblait pas aux puits sahariens. Les puits sahariens sont de simples trous creusés dans le sable. Celui-là ressemblait à un puits de village. Mais il n'y avait là aucun village, et je croyais rêver.

9 — C'est étrange, dis-je au petit prince, tout est prêt: la poulie, le seau et la corde...

10 Il rit, toucha la corde, fit jouer la poulie.

11 Et la poulie gémit comme gémit une vieille girouette quand le vent a longtemps dormi.

12 — Tu entends, dit le petit prince, nous réveillons ce puits et il chante...

13 Je ne voulais pas qu'il fît un effort:

14 — Laisse-moi faire, lui dis-je, c'est trop lourd pour toi.

15 Lentement je hissai le seau jusqu'à la margelle.
16 Je l'y installai bien d'aplomb. Dans mes oreilles durait le chant de la poulie et, dans l'eau qui tremblait encore, je voyais trembler le soleil.

18 — J'ai soif de cette eau-là, dit le petit prince, donne-moi à boire...

19 Et je compris ce qu'il avait cherché!

20 Je soulevai le seau jusqu'à ses lèvres. Il but, les yeux fermés. C'était doux comme une fête. Cette eau était bien autre chose qu'un aliment.

Chapter XXV

"Men," said the little prince, "squeeze themselves into express trains, but they no longer know what they are looking for. So they rush about, and go round in circles..."

And he added:

"It's not worth it..."

The well that we had reached wasn't like the wells of the Sahara. The wells of the Sahara are mere holes dug in the sand. This one looked like a village well. But there was no village there, and I thought I was dreaming.

"It's strange," I said to the little prince, "Everything's is ready: the pulley, the bucket, and the rope..."

He laughed, took the rope, and put the pulley to work.

And the pulley groaned like an old weathervane, when the wind has slept for a long time.

"Can you hear that?" said the little prince, "We're waking up the well, and it's singing..."

I didn't want him to strain himself.

"Let me do it," I said, "It's too heavy for you."

I hoisted the bucket slowly to the edge of the well. There I set it down good and level. The song of the pulley carried on in my ears, and in the still trembling water I could see the sun shaking.

"I'm thirsty for this water," said the little prince. "Give me some to drink..."

And I understood what he had been looking for!

I raised the bucket to his lips. He drank, his eyes closed. It was as sweet as a festival. This water was very different from a nutriment.

24	Elle était née de la marche sous les étoiles, du chant de la poulie, de l'effort de mes bras. Elle était bonne pour le cœur, comme un cadeau.	It was born of the walk under the stars, of the singing of the pulley, of the effort of my arms. It was good for the heart, like a present.
26	Lorsque j'étais petit garçon, la lumière de l'arbre de Noël, la musique de la messe de minuit, la douceur des sourires faisaient, ainsi, tout le rayonnement du cadeau de Noël que je recevais.	When I was a little boy, the lights of the Christmas tree, the music of the Midnight Mass, the tenderness in the smiles produced, in a similar way, the radiance of the gift that I received.
27	— Les hommes de chez toi, dit le petit prince, cultivent cinq mille roses dans un même jardin... et ils n'y trouvent pas ce qu'ils cherchent...	"The men where you live," said the little prince, "grow five thousand roses in a single garden... and they don't find what they're looking for there."
28	— Ils ne le trouvent pas, répondis-je...	"They don't find it," I replied.
29	— Et cependant ce qu'ils cherchent pourrait être trouvé dans une seule rose ou un peu d'eau...	"And yet what they're looking for could be found in a single rose, or a little water ..."
30	— Bien sûr, répondis-je.	"Of course," I said.
31	Et le petit prince ajouta:	And the little prince added:
32	— Mais les yeux sont aveugles. Il faut chercher avec le cœur.	"But the eyes are blind. You have to search with the heart..."
34	J'avais bu. Je respirais bien. Le sable, au lever du jour, est couleur de miel. J'étais heureux aussi de cette couleur de miel. Pourquoi fallait-il que j'eusse de la peine...	I had drunk the water. I breathed easily. Sand, at sunrise, is the color of honey. I was also glad of this honey color. Why did I have to have this feeling of grief...
39	— Il faut que tu tiennes ta promesse, me dit doucement le petit prince, qui, de nouveau, s'était assis auprès de moi.	"You have to keep your promise," said the little prince softly, who had again sat down beside me.
40	— Quelle promesse?	"What promise?"
41	— Tu sais... une muselière pour mon mouton... je suis responsable de cette fleur!	"You know... a muzzle for my sheep... I'm responsible for this flower..."
42	Je sortis de ma poche mes ébauches de dessin. Le petit prince les aperçut et dit en riant:	I took my sketches out of my pocket. The little prince saw them, and laughed as he said:
44	— Tes baobabs, ils ressemblent un peu à des choux...	"Your baobabs – they look a bit like cabbages."
45	— Oh!	"Oh!"
46	Moi qui étais si fier des baobabs!	And I'd been so proud of my baobabs!

47	— Ton renard... ses oreilles... elles ressemblent un peu à des cornes... et elles sont trop longues!	"Your fox... his ears... they look a bit like horns... and they're too long!"
48	Et il rit encore.	And he laughed again.
49	— Tu es injuste, petit bonhomme, je ne savais rien dessiner que les boas fermés et les boas ouverts.	"You are being unfair, my little fellow, I didn't know how to draw anything except closed boas and open boas."
50	— Oh! ça ira, dit-il, les enfants savent.	"Oh, it'll be all ok," he said, "children understand."
51	Je crayonnai donc une muselière. Et j'eus le cœur serré en la lui donnant:	So I made a pencil sketch of a muzzle. And I felt a pang in my heart as I gave it to him.
53	— Tu as des projets que j'ignore...	"You have plans that I don't know about..."
54	Mais il ne me répondit pas. Il me dit:	But he didn't respond. He said to me:
56	— Tu sais, ma chute sur la Terre... c'en sera demain l'anniversaire...	"You know, my descent to Earth... tomorrow will be its anniversary."
57	Puis après un silence il dit encore:	Then after a silence he went on:
58	— J'étais tombé tout près d'ici...	"I came down very near here."
59	Et il rougit.	And he blushed.
60	Et de nouveau, sans comprendre pourquoi, j'éprouvai un chagrin bizarre. Cependant une question me vint:	And once again, without understanding why, I felt a peculiar sense of sorrow. One question occurred to me however:
62	— Alors ce n'est pas par hasard que, le matin où je t'ai connu, il y a huit jours, tu te promenais comme ça, tout seul, à mille milles de toutes les régions habitées!	"So it wasn't by chance that the morning I met you, eight days ago, you were out walking like that, all alone, a thousand miles from any inhabited region? You were going back to the point of your descent?"
63	Tu retournais vers le point de ta chute?	
64	Le petit prince rougit encore.	The little prince blushed again.
65	Et j'ajoutai, en hésitant :	And I added, hesitantly:
66	— A cause, peut-être, de l'anniversaire ?...	"Perhaps because of the anniversary...?"
67	Le petit prince rougit de nouveau. Il ne répondait jamais aux questions, mais, quand on rougit, ça signifie « oui », n'est-ce pas?	The little prince blushed once more. He never answered questions, but when one blushes, that means 'yes,' doesn't it?
69	— Ah! lui dis-je, j'ai peur...	"Oh," I said to him, "I'm afraid..."
70	Mais il me répondit:	But he responded:

71 — Tu dois maintenant travailler. Tu dois repartir vers ta machine. Je t'attends ici. Reviens demain soir...

"Now you must work. You must go back to your machine. I'll wait for you here. Come back tomorrow evening..."

75 Mais je n'étais pas rassuré. Je me souvenais du renard.

But I wasn't reassured. I remembered the fox.

77 On risque de pleurer un peu si l'on s'est laissé apprivoiser...

One runs the risk of weeping a little, if one allows oneself to be tamed...

Chapitre XXVI

1 Il y avait, à côté du puits, une ruine de vieux mur de pierre. Lorsque je revins de mon travail, le lendemain soir, j'aperçus de loin mon petit prince assis là-haut, les jambes pendantes. Et je l'entendis qui parlait:

4 — Tu ne t'en souviens donc pas? disait-il. Ce n'est pas tout à fait ici!

6 Une autre voix lui répondit sans doute, puisqu'il répliqua:

7 — Si! Si! c'est bien le jour, mais ce n'est pas ici l'endroit...

8 Je poursuivis ma marche vers le mur. Je ne voyais ni entendais toujours personne. Pourtant le petit prince répliqua de nouveau:

11 — ...Bien sûr. Tu verras où commence ma trace dans le sable. Tu n'as qu'à m'y attendre. J'y serai cette nuit...

Chapter XXVI

There was, next to the well, the ruin of an old stone wall. When I came back from my work, the next evening, I spotted from a distance my little price sitting on top of it, his feet hanging down. And I heard him say:

"Don't you remember then?" he said. "It's not quite here!"

Another voice without doubt answered him, because he replied:

"Yes, yes! It's the right day, but this isn't the right place."

I continued my walk towards the wall. I still didn't see or hear anyone. Yet the little prince replied again:

"...Of course. You'll see where my tracks begin in the sand. You just have to wait for me there. I'll be there tonight..."

15	J'étais à vingt mètres du mur et je ne voyais toujours rien.	I was twenty meters from the wall, and I still saw nothing.
16	Le petit prince dit encore, après un silence:	The little prince spoke again, after a pause:
17	— Tu as du bon venin? Tu es sûr de ne pas me faire souffrir longtemps?	"Do you have good poison? Are you sure you won't make me suffer for long?"
19	Je fis halte, le cœur serré, mais je ne comprenais toujours pas.	I halted, my heart skipped a beat; but I still didn't understand.
20	— Maintenant, va-t'en, dit-il... je veux redescendre!	"Now go away," he said, "I want to come back down!"
21	Alors j'abaissai moi-même les yeux vers le pied du mur, et je fis un bond! Il était là, dressé vers le petit prince, un de ces serpents jaunes qui vous exécutent en trente secondes. Tout en fouillant ma poche pour en tirer mon revolver, je pris le pas de course, mais, au bruit que je fis, le serpent se laissa doucement couler dans le sable, comme un jet d'eau qui meurt, et, sans trop se presser, se faufila entre les pierres avec un léger bruit de métal.	So I then brought my eyes down to the foot of the wall, and I leapt up! It was right there, raised up towards the little prince, one of those yellow snakes that kills you in thirty seconds. Even as I dug around in my pocked to take out my revolver, I started to run. But, at the noise I made, the snake let himself flow easily across the sand, like the dying spray of a fountain, and without hurrying too much, slipped between the stones with a light metallic sound.
24	Je parvins au mur juste à temps pour y recevoir dans les bras mon petit bonhomme de prince, pâle comme la neige.	I reached the wall just in time to catch my little fellow, my prince, in my arms, pale as snow.
25	— Quelle est cette histoire-là! Tu parles maintenant avec les serpents!	"What's going on here? So now you talk with snakes!"
27	J'avais défait son éternel cache-nez d'or. Je lui avais mouillé les tempes et l'avais fait boire. Et maintenant je n'osais plus rien lui demander. Il me regarda gravement et m'entoura le cou de ses bras.	I had loosened his eternal golden muffler. I had moistened his temples and made him drink. And now I didn't dare ask him anything more. He looked at me gravely and put his arms around my neck.
31	Je sentais battre son cœur comme celui d'un oiseau qui meurt, quand on l'a tiré à la carabine. Il me dit:	I felt his heart beat like that of a dying bird, when it has been shot with a rifle. He said to me:
33	— Je suis content que tu aies trouvé ce qui manquait à ta machine. Tu vas pouvoir rentrer chez toi...	"I'm glad that you've found what was missing from your machine. You'll be able to go back home..."
35	— Comment sais-tu!	"How do you know?!"
36	Je venais justement lui annoncer que, contre toute espérance, j'avais réussi mon travail!	I was just coming to tell him that, against all expectations, I had succeeded in my work.
37	Il ne répondit rien à ma question, mais il ajouta:	He didn't respond anything to my question, but he added:

38	— Moi aussi, aujourd'hui, je rentre chez moi...
	"I'm also going back home today..."
39	Puis, mélancolique:
	Then, sadly:
40	— C'est bien plus loin... c'est bien plus difficile...
	"It's a lot further... it's much more difficult..."

38 — Moi aussi, aujourd'hui, je rentre chez moi...

"I'm also going back home today..."

39 Puis, mélancolique:

Then, sadly:

40 — C'est bien plus loin... c'est bien plus difficile...

"It's a lot further... it's much more difficult..."

41 Je sentais bien qu'il se passait quelque chose d'extraordinaire. Je le serrais dans les bras comme un petit enfant, et cependant il me semblait qu'il coulait verticalement dans un abîme sans que je puisse rien pour le retenir...

I felt very clearly that something extraordinary was happening. I held him tightly in my arms like a small child; and yet it seemed to me that he was plummeting down into an abyss, and that I could do nothing to hold on to him...

43 Il avait le regard sérieux, perdu très loin:

He had a serious look, lost far away.

44 — J'ai ton mouton. Et j'ai la caisse pour le mouton. Et j'ai la muselière...

"I have your sheep. And I have the box for the sheep. And I have the muzzle..."

47 Et il sourit avec mélancolie.

And he smiled sadly.

48 J'attendis longtemps. Je sentais qu'il se réchauffait peu à peu:

I waited a long while. I could feel that he was warming back up, little by little.

50 — Petit bonhomme, tu as eu peur...

"Little fellow, you were afraid..."

51 Il avait eu peur, bien sûr! Mais il rit doucement:

He had been afraid, of course! But he laughed softly:

53 — J'aurai bien plus peur ce soir...

"I'll be much more afraid this evening..."

54 De nouveau je me sentis glacé par le sentiment de l'irréparable. Et je compris que je ne supportais pas l'idée de ne plus jamais entendre ce rire.
56 C'était pour moi comme une fontaine dans le désert.

Again I felt myself frozen by the sense of something irremediable. And I understood then that I couldn't bear the idea of never hearing this laugh again. For me, it was like a spring in the desert.

57 — Petit bonhomme, je veux encore t'entendre rire...

"Little fellow, I want to hear you laugh again... "

58 Mais il me dit:

But he said to me:

59 — Cette nuit, ça fera un an. Mon étoile se trouvera juste au-dessus de l'endroit où je suis tombé l'année dernière...

"Tonight, it will be a year. My star will be right above the place where I came down, last year..."

61 — Petit bonhomme, n'est-ce pas que c'est un mauvais rêve cette histoire de serpent et de rendez-vous et d'étoile...

"Little fellow, isn't this a bad dream – this business with the snake and with the rendezvous and the star... ?"

62 Mais il ne répondit pas à ma question. Il me dit:

But he didn't answer my question. He said to me:

64 — Ce qui est important, ça ne se voit pas...

"That which is important cannot be seen..."

65	— Bien sûr…

"Of course…"

66 — C'est comme pour la fleur. Si tu aimes une fleur qui se trouve dans une étoile, c'est doux, la nuit, de regarder le ciel. Toutes les étoiles sont fleuries.

"It's like with the flower. If you love a flower that is on a star, it's nice, at night, to look at the sky. All the stars are covered in flowers…"

69 — Bien sûr…

"Of course…"

70 C'est comme pour l'eau. Celle que tu m'as donnée à boire était comme une musique, à cause de la poulie et de la corde… tu te rappelles… elle était bonne.

"It's like with the water. That which you gave me to drink was like music, because of the pulley, and the rope… you remember… it was good."

72 — Bien sûr…

"Of course…"

73 — Tu regarderas, la nuit, les étoiles. C'est trop petit chez moi pour que je te montre où se trouve la mienne. 75 C'est mieux comme ça. Mon étoile, ça sera pour toi une des étoiles. Alors, toutes les étoiles, tu aimeras les regarder… Elles seront toutes tes amies. 79 Et puis je vais te faire un cadeau…

"At night you'll look at the stars. It's too small where I live for me to show you where mine is located. It's better like that. My star for you will be just one of the stars. So you'll love to look at them, all of the stars… They'll all be your friends. And, what's more, I'm going to make you a present…"

80 Il rit encore.

He laughed again.

81 — Ah! petit bonhomme, petit bonhomme, j'aime entendre ce rire!

"Ah, little fellow, little fellow, I love to hear that laugh!"

82 — Justement ce sera mon cadeau… ce sera comme pour l'eau…

"Precisely this will be my present… it'll be like with the water…"

83 — Que veux-tu dire?

"What do you mean?"

84 — Les gens ont des étoiles qui ne sont pas les mêmes. Pour les uns, qui voyagent, les étoiles sont des guides. 86 Pour d'autres elles ne sont rien que de petites lumières. 87 Pour d'autres, qui sont savants, elles sont des problèmes. 88 Pour mon businessman elles étaient de l'or. Mais toutes ces étoiles-là se taisent. Toi, tu auras des étoiles comme personne n'en a…

"People have stars that are not the same ones. For some, who travel, the stars are guides. For others they are nothing but little lights. For others, who are scholars, they are problems. For my businessman they were gold. But all of those stars stay silent. You will have stars as no one else has…"

91 — Que veux-tu dire?

"What do you mean?"

92 — Quand tu regarderas le ciel, la nuit, puisque j'habiterai dans l'une d'elles, puisque je rirai dans l'une d'elles, alors ce sera pour toi comme si riaient toutes les étoiles. Tu auras, toi, des étoiles qui savent rire!

"When you will look at the sky at night, because I'll be living on one of them, because I'll be laughing on one of them, for you it will be like all the stars are laughing. You will have stars that know how to laugh!"

94 Et il rit encore.

And he laughed again.

95 — Et quand tu seras consolé (on se console toujours) tu seras content de m'avoir connu. Tu seras toujours mon ami. Tu auras envie de rire avec moi.
98 Et tu ouvriras parfois ta fenêtre, comme ça, pour le plaisir... Et tes amis seront bien étonnés de te voir rire en regardant le ciel. Alors tu leur diras: « Oui, les étoiles, ça me fait toujours rire! »
101 Et ils te croiront fou. Je t'aurai joué un bien vilain tour...

103 Et il rit encore.

104 — Ce sera comme si je t'avais donné, au lieu d'étoiles, des tas de petits grelots qui savent rire...

105 Et il rit encore. Puis il redevint sérieux:

107 — Cette nuit... tu sais... ne viens pas.

108 — Je ne te quitterai pas.

109 — J'aurai l'air d'avoir mal... j'aurai un peu l'air de mourir. C'est comme ça. Ne viens pas voir ça, ce n'est pas la peine...

112 — Je ne te quitterai pas.

113 Mais il était soucieux.

"And when you are comforted (one always finds consolation) you'll be glad to have known me. You'll always be my friend. You'll want to laugh with me. And sometimes, you'll open your window, just like that, for fun... And your friends will be very surprised to see you laughing as you look at the sky. So you'll tell them, "Yes, the stars always make me laugh!" And they'll think you're crazy. I will have played a nasty trick on you...

And he laughed again.

"It'll be as if I'd given you, instead of stars, lots and lots of little bells that can laugh..."

And he laughed again. Then he became serious again:

"Tonight... you know... don't come."

"I won't leave you."

"I'll look as if I'm in pain... I'll look a bit like I'm dying. It's like that. Don't come to see that. It's not worth it..."

"I won't leave you."

But he was worried.

114	— Je te dis ça... c'est à cause aussi du serpent.	"I'm telling you this... it's also because of the snake.
115	Il ne faut pas qu'il te morde... Les serpents, c'est méchant. Ça peut mordre pour le plaisir...	He mustn't bite you... Snakes are mean. They can bite you just for fun..."
118	— Je ne te quitterai pas.	"I won't leave you."
119	Mais quelque chose le rassura:	But something reassured him:
120	— C'est vrai qu'ils n'ont plus de venin pour la seconde morsure...	"It's true that they have no poison left for a second bite... "
121	Cette nuit-là je ne le vis pas se mettre en route. Il s'était évadé sans bruit. Quand je réussis à le rejoindre il marchait décidé, d'un pas rapide. Il me dit seulement:	That night I didn't see him set out. He got away without making a sound. When I managed to catch him up, he was walking along determinedly, at a brisk pace. He said only:
125	— Ah! tu es là...	"Oh! You're here..."
126	Et il me prit par la main. Mais il se tourmenta encore:	And he took me by the hand. But he was still worrying.
128	— Tu as eu tort. Tu auras de la peine. J'aurai l'air d'être mort et ce ne sera pas vrai...	"You have been wrong. You'll suffer. I'll look as if I'm dead, and that won't be true..."
131	Moi je me taisais.	I kept silent.
132	— Tu comprends. C'est trop loin. Je ne peux pas emporter ce corps-là. C'est trop lourd.	"You understand. It's too far. I can't carry this body with me. It's too heavy."
136	Moi je me taisais.	I kept silent.
137	— Mais ce sera comme une vieille écorce abandonnée. Ce n'est pas triste les vieilles écorces...	"But it'll be like an old abandoned shell. There's nothing sad about old shells..."
139	Moi je me taisais.	I kept silent.
140	Il se découragea un peu. Mais il fit encore un effort:	He got a bit discouraged. But he made one more effort:
142	— Ce sera gentil, tu sais. Moi aussi, je regarderai les étoiles. Toutes les étoiles seront des puits avec une poulie rouillée. Toutes les étoiles me verseront à boire...	"It'll be nice, you know. Me too, I'll look at the stars. All the stars will be wells with a rusty pulley. All the stars will pour water for me to drink..."
146	Moi je me taisais.	I kept silent.
147	— Ce sera tellement amusant! Tu auras cinq cents millions de grelots, j'aurai cinq cents millions de fontaines...	"It'll be so much fun! You'll have five hundred million little bells, and I'll have five hundred million springs..."

149	Et il se tut aussi, parce qu'il pleurait.
	And then he too was silent, because he was crying.

150	— C'est là. Laisse-moi faire un pas tout seul.
	"It's here. Let me take a step by myself."

152	Et il s'assit parce qu'il avait peur. Il dit encore:
	And he sat down because he was afraid. He continued:

154	— Tu sais... ma fleur... j'en suis responsable!
155	Et elle est tellement faible! Et elle est tellement naïve. Elle a quatre épines de rien du tout pour la protéger contre le monde...
	"You know... my flower... I'm responsible for her. And she's so weak! And she's so naïve! She has four thorns, of no use at all, to protect her against the world..."

158	Moi je m'assis parce que je ne pouvais plus me tenir debout. Il dit:
	I sat down because I was wasn't able to stand anymore. He said:

160	— Voilà... C'est tout...
	"There... that's everything..."

161	Il hésita encore un peu, puis il se releva. Il fit un pas. Moi je ne pouvais pas bouger.
	He hesitated a little more, and then stood back up. He took a step. I couldn't move.

164	Il n'y eut rien qu'un éclair jaune près de sa cheville. Il demeura un instant immobile. Il ne cria pas. Il tomba doucement comme tombe un arbre.
168	Ça ne fit même pas de bruit, à cause du sable.
	There was nothing but a yellow flash close to his ankle. He remained motionless for a moment. He didn't cry out. He fell gently, as a tree falls. It didn't even make any sound, because of the sand.

Chapitre XXVII

1 Et maintenant bien sûr, ça fait six ans déjà… Je n'ai jamais encore raconté cette histoire. Les camarades qui m'ont revu ont été bien contents de me revoir vivant.

4 J'étais triste mais je leur disais: « C'est la fatigue… »

5 Maintenant je me suis un peu consolé. C'est-à-dire… pas tout à fait. Mais je sais bien qu'il est revenu à sa planète, car, au lever du jour, je n'ai pas retrouvé son corps.

8 Ce n'était pas un corps tellement lourd… Et j'aime la nuit écouter les étoiles. C'est comme cinq cents millions de grelots…

Chapter XXVII

And now of course, it's already been six years… I had never yet told this story. The companions who saw me again were very happy to see me alive again. I was sad, but I told them: "It's because I'm tired…"

Now my sorrow is comforted a little. I mean… not entirely. But I do know that he got back to his planet, because at daybreak I didn't find his body. It wasn't a very heavy body… And I love to listen to the stars at night. It's just like five hundred million little bells…

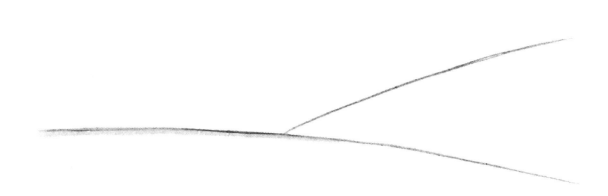

11 Mais voilà qu'il se passe quelque chose d'extraordinaire. La muselière que j'ai dessinée pour le petit prince, j'ai oublié d'y ajouter la courroie de cuir!
13 Il n'aura jamais pu l'attacher au mouton. Alors je me demande: « Que s'est-il passé sur sa planète?
15 Peut-être bien que le mouton a mangé la fleur... »

16 Tantôt je me dis: « Sûrement non! Le petit prince enferme sa fleur toutes les nuits sous son globe de verre, et il surveille bien son mouton... »
18 Alors je suis heureux. Et toutes les étoiles rient doucement.

20 Tantôt je me dis: « On est distrait une fois ou l'autre, et ça suffit! Il a oublié, un soir, le globe de verre, ou bien le mouton est sorti sans bruit pendant la nuit... » Alors les grelots se changent tous en larmes!...

But there is something extraordinary thing going on. The muzzle that I drew for the little prince, I forgot to add the leather strap to it. He would never have been able to fasten it to the sheep. So I wonder: what happened on his planet? It may well be that the sheep ate the flower...

Sometimes I tell myself: "Surely not! The little prince encloses his flower every night under her glass dome, and he watches over his sheep carefully..." Then I'm happy. And all the stars laugh sweetly.

Other times I tell myself: "Everyone is absent-minded at some point, and that's all it takes! One evening he would have forgotten the glass dome, or maybe the sheep got out quietly during the night..." And then all the little bells turn into tears...

23	C'est là un bien grand mystère. Pour vous qui aimez aussi le petit prince, comme pour moi, rien de l'univers n'est semblable si quelque part, on ne sait où, un mouton que nous ne connaissons pas a, oui ou non, mangé une rose...	Herein lies a great mystery. For you, who also love the little prince, like for me, nothing in the universe is the same if somewhere, we don't know where, a sheep that we don't know has – has it? – eaten a rose...
25	Regardez le ciel. Demandez-vous : « Le mouton oui ou non a-t-il mangé la fleur ? » Et vous verrez comme tout change...	Look at the sky. Ask yourselves: Has the sheep – yes or no – eaten the flower? And you will see how everything changes...
28	Et aucune grande personne ne comprendra jamais que ça a tellement d'importance !	And no grown-up will ever understand that this has such importance!
29	Ça c'est, pour moi, le plus beau et le plus triste paysage du monde. C'est le même paysage que celui de la page précédente, mais je l'ai dessiné une fois encore pour bien vous le montrer.	This is, to me, the most beautiful and the most sad landscape in the world. It's the same landscape as the one on the previous page, but I have drawn it one more time to show it to you properly.
31	C'est ici que le petit prince a apparu sur terre, puis disparu.	It's here that the little prince appeared on Earth, and then disappeared.
32	Regardez attentivement ce paysage afin d'être sûrs de le reconnaître, si vous voyagez un jour en Afrique, dans le désert. Et, s'il vous arrive de passer par là, je vous en supplie, ne vous pressez pas, attendez un peu juste sous l'étoile ! Si alors un enfant vient à vous, s'il rit, s'il a des cheveux d'or, s'il ne répond pas quand on l'interroge, vous devinerez bien qui il est.	Look at this landscape carefully, so as to be sure to recognise it if one day you travel in Africa, in the desert. And if you happen to pass by there, I beg you, don't hurry on, wait a while exactly under the star. If a child then comes to you, if he laughs, if he has golden hair, if he doesn't respond when questioned, you will easily guess who he is.
35	Alors soyez gentils ! Ne me laissez pas tellement triste : écrivez-moi vite qu'il est revenu...	So, be kind! Don't leave me this sad: write to me quickly that he's back...